教員採用試験

2026年度版

新ポケットランナー

一般教養

東京教友会

TAC出版
TAC PUBLISHING Group

ま え が き

このたびランナー刊行の出版社が，一ツ橋書店からTAC出版にかわった。ランナー初版刊行の背景に関する詳細は，直近の2023年度版の「まえがき」にゆずる。大きい版（以下親ラン），その親ランを要約した小さい版の新ポケットランナー（以下ポケラン）があるのは周知であろう。

ポケラン待望の声すなわち，例えば，交通機関の時刻表を睨めつつ，列車，電車，バス等の待ち時間を有効活用したい。電車内などで，暇があればすぐにポケットから取り出して，寸暇を惜しんで，いつでも，どこでも読める小型版のランナーが欲しいとの読者の熱望に応えての書である。

朱熹作と伝わる漢詩『偶成』に「少年易老學難成　一寸光陰不可輕　未覺池塘春草夢　階前梧葉已秋聲」との漢詩は学びの姿勢を説く。日本風土でも自戒すべき言葉として「只今日今時ばかりと思ふて時光をうしなはず，学道に心をいるべきなり。」（正法眼蔵随聞記）が見える。まさに巷間に知られる「今でしょう！」である。いつでも，どこでも，寸暇を惜しんでポケットからポケランを取り出して，脳に忘れる暇が無いように要点を注入していく便をはかったのが要点確認版のポケランである。まずポケランで要点・概要を把握する。次いで親ランで内容詳細確認をする道程である。ポケランの記事が親ランを補填している例もある。ポケランと親ランとの相互交流がある。

活用法の一例として，まずポケランで簡潔に全体の要点と骨子とを把握する。次に親ランを見て詳しく確かめる。ポケランを見て親ランの詳細がイメージできるようになること。次に親ランを見て要約できるかを自問する。

ところで，筆者が対応してきたゼミ生には，入手しているランナーに対して，そのかかわる姿勢には３タイプがあるようである。ランナーを学習するタイプ，ランナーで学習するタイプ，ランナーでも学習するタイプの３タイプがある。この３タイプは，周知の，教科書を学ぶか，教科書で学ぶか，教科書でも学ぶかという，教科書裁判の喧しい時節に随所で喧しく論議されたことである。ランナーに対するあなたのタイプは例えばどのタイプでしょうか。これを意識化すると脳の生理過程が尖鋭化するはずです。あなた自身のランナーを作成する挑戦をしてみてください。

東京教友会代表　責任編集　小山一乘

本書の特長・学習法

各項目に重要度を記載

過去の出題傾向をもとにして，学習上の重要度を記載しています。Aが最重要なもの，Bが標準程度の重要度のもの，Cが重要度は低いが一定の学習は必要なものです。

色文字も隠して知識を確実に

穴埋め以外にも，重要語句は色ゴチックで記載しています。この色ゴチックの重要語句も赤シートで隠して読むことで，より効果的な「二段階学習」ができます。

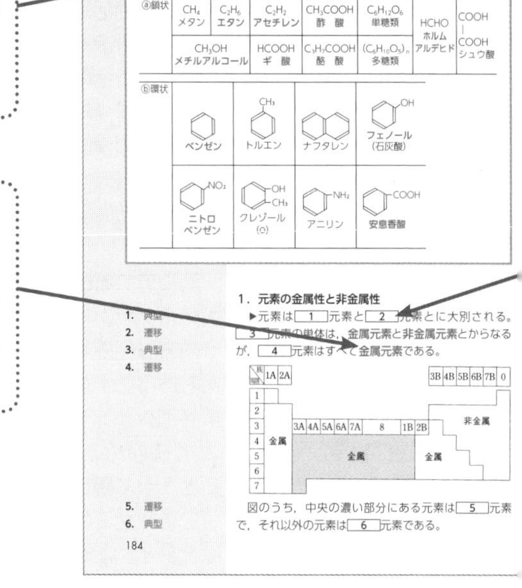

3 物質の性質

重要度 A

主な有機化合物

ⓐ鎖状	CH_4 メタン	C_2H_6 エタン	C_2H_2 アセチレン	CH_3COOH 酢酸	$C_6H_{12}O_6$ 単糖類	HCHO ホルムアルデヒド	COOH – COOH シュウ酸
	CH_3OH メチルアルコール		HCOOH ギ酸	C_3H_7COOH 酪酸	$(C_6H_{10}O_5)_n$ 多糖類		
ⓑ環状	ベンゼン	トルエン	ナフタレン	フェノール（石灰酸）			
	ニトロベンゼン	クレゾール（o）	アニリン	安息香酸			

1．元素の金属性と非金属性

▶元素は［ 1 ］元素と［ 2 ］元素とに大別される。［ 3 ］元素の単体は，金属元素と非金属元素とからなるが，［ 4 ］元素はすべて金属元素である。

図のうち，中央の濃い部分にある元素は［ 5 ］元素で，それ以外の元素は［ 6 ］元素である。

1. 典型
2. 遷移
3. 典型
4. 遷移
5. 遷移
6. 典型

184

本書を使った効果的な**二段階学習法**

①赤シートで**解答欄を隠して**穴埋め問題を解く。

②赤シートで**本文の色文字を隠して**色文字部分を答えられるようにする。

③完全にマスターしたら**日付欄**に日付を記入。

④上記の学習を**3回**繰り返す。

⑤試験直前になったら**重要度Aの問題**をもう一度解く。

学習進度を示す日付欄

日付欄に学習をした日付を記入して学習進度を確認できます。重要度の高い項目は繰り返し学習するようにしましょう。

一般に，**金属性**は，同じ周期では**左側**ほど，同じ族では**下側**ほど強くなる。これに対して**非金属性**は，**金属性**と反対の関係にある。

2．ハロゲン

▶いずれも[7]個の**価電子**をもつため，電子１個をとり入れて１価の**陰イオン**になろうとする傾向が強く，[8]の単体は強い[9]を示す。フッ素が最も強く，**原子番号**が大きくなるにつれて弱くなる。

〈[10]の強さ〉 F_2 > [11] > Br_2 > I_2

7. 7　8. ハロゲン
9. 酸化力
10. 酸化力
11. Cl_2　12. 飽和
13. プロパン
14. 芳香族
15. ベンゼン
16. アルコール
17. フェノール
18. アルデヒド基
19. カルボン
20. カルボキシル基
21. ギ酸
22. エステル

おもな炭素化合物

分類		骨格または官能基		化合物の例	
炭化水素	[12] 炭化水素	メタン系	シクロパラフィン系	CH_4 メタン　C_3H_8 [13]	H_2C—CH_2—CH_2（環） シクロプロパン
	不飽和 炭化水素	C=C エチレン系	—C≡C— アセチレン系	$H_2C=CH_2$ エチレン	HC≡CH アセチレン
	[14] 炭化水素	（ベンゼン環） ベンゼン環をもつ		C_6H_6 [15]	$C_6H_5CH_3$ トルエン
[16]		（アルキル基）—O—H アルコール性水酸基		CH_3OH メタノール	C_2H_5OH エタノール
フェノール類		（ベンゼン環）—O—H フェノール性水酸基		C_6H_5OH [17]	$C_6H_4(CH_3)OH$ クレゾール
アルデヒド		—C(=O)—H [18]		HCHO ホルムアルデヒド	
ケトン			＞C=O ケトン基		CH_3COCH_3 アセトン
[19] 酸		—C(=O)—O—H [20]		HCOOH [21]	CH_3COOH 酢酸
エステル		R—C(=O)—O—R′ [22]		$CH_3COOC_2H_5$ 酢酸エチル	
エーテル			R—O—R′ エーテル		$C_2H_5OC_2H_5$ ジエチルエーテル

13 化学

185

穴埋め問題で実戦型演習

解答欄を赤シートで隠して穴埋め問題を解くことで実践型の学習をすることができます。穴埋めで問われた重要語句は確実に覚えていきましょう。

図表もチェック

発展学習のため，適宜まとめ図表を記載しています。重要語句は色文字表記していますので，チェックしておきましょう。

繰り返し学習することで弱点を完全に克服できます。試験直前に重要度の高い問題を解くことで合格率アップ。電車やバスの中でも学べるので効率的な学習が可能です。

新ポケットランナー

一般教養

CONTENTS

1 国語

1 反対語・難読語

基本語

〔反対語・対立語〕

安価——高価	安全——危険	遺失——拾得	異端——正統
韻文——散文	迂回——直行	英才——鈍才	婉曲——露骨
厭世——楽天	延長——短縮	外延——内包	解散——集合
過剰——不足	仮性——真性	歓迎——歓送	簡潔——冗漫
干潮——満潮	寛容——厳格	起工——竣工	期待——憂慮
既知——未知	逆縁——順縁	急騰——急落	強制——任意
許可——禁止	拒否——受容	空虚——充実	偶然——必然
警戒——油断	決算——予算	原因——結果	原告——被告
倹約——浪費	権利——義務	故意——過失	厚遇——冷遇
傲慢——謙虚	巧妙——拙劣	興隆——衰亡	固執——譲歩
散在——密集	失効——発効	雌伏——雄飛	釈放——拘禁
需要——供給	消費——生産	絶対——相対	創刊——廃刊
怠慢——勤勉	秩序——混乱	中枢——末梢	直系——傍系
貪欲——無欲	濃厚——淡白	派遣——召還	悲報——朗報
平易——難解	豊作——凶作	放電——充電	密教——顕教
優勝——劣敗	用言——体言	卵生——胎生	理性——感情

〔難読語〕

生憎—あいにく	小豆—あずき	海人—あま	威嚇—いかく
委嘱—いしょく	慇懃—いんぎん	迂闊—うかつ	団扇—うちわ
永劫—えいごう	回向—えこう	干支—えと	冤罪—えんざい
嗚咽—おえつ	甲斐—かい	陽炎—かげろう	脚気—かっけ
生粋—きっすい	愚痴—ぐち	嚆矢—こうし	更迭—こうてつ
忽然—こつぜん	勤行—ごんぎょう	防人—さきもり	些細—ささい
珊瑚—さんご	時雨—しぐれ	東雲—しののめ	絨毯—じゅうたん
上梓—じょうし	憔悴—しょうすい	進捗—しんちょく	喘息—ぜんそく
耽溺—たんでき	顛末—てんまつ	就中—なかんずく	捺印—なついん
暖簾—のれん	祝詞—のりと	氾濫—はんらん	敷衍—ふえん
朴訥—ぼくとつ	黒子—ほくろ	反古—ほご	蒔絵—まきえ

1．反対語

哀悼	[1]	安心	[2]
[3]	概略	[4]	通説
栄達	[5]	[6]	左遷
応答	[7]	[8]	過激
獲得	[9]	[10]	多弁
[11]	挫折	陥没	[12]
[13]	受理	凝固	[14]
[15]	絶後	[16]	素人
[17]	本質	[18]	内示
酸化	[19]	実数	[20]
創造	[21]	[22]	決裂
[23]	流行	矛盾	[24]
[25]	文明	抑制	[26]

1. 祝賀 2. 心配
3. 委細 4. 異説
5. 零落 6. 栄転
7. 質疑 8. 穏健
9. 喪失 10. 寡黙
11. 貫徹 12. 隆起
13. 却下 14. 融解
15. 空前 16. 玄人
17. 現象 18. 公示
19. 還元 20. 虚数
21. 模倣 22. 妥結
23. 不易 24. 合理
25. 野蛮 26. 促進

※2.は「不安」も可。

2．難読語

1．隘路　せまくてけわしい道のこと。
2．軋轢　内部の者同士が争いあうこと。
3．嬰児　生まれたばかりの赤ん坊のこと。
4．傀儡　あやつり人形のこと。
5．帷子　とばりに用いるうすい絹の布。
6．忌憚　言うことを遠慮すること。
7．功徳　神仏から報いられるような善行。
8．欣求　よろこび求めること。
9．猜疑　不信感で相手をうたがうこと。
10．弛緩　緊張すべきものがたるむこと。
11．桎梏　手かせ足かせの束縛のこと。
12．推敲　文章の字句を何度も練ること。
13．杜撰　手ぬかりが多くぞんざいなさま。
14．忖度　他人の気持をおしはかること。
15．山車　祭礼で引き歩く装飾した車のこと。
16．躊躇　ためらうこと。
17．雪崩　雪や土砂などがくずれおちること。
18．冥途　あの世のこと。
19．面子　面目，体面のこと。
20．呂律　ものを言うときの調子。

1. あいろ
2. あつれき
3. えいじ
4. かいらい(くぐつ)
5. かたびら
6. きたん
7. くどく
8. ごんぐ
9. さいぎ
10. しかん
11. しっこく
12. すいこう
13. ずさん
14. そんたく
15. だし
16. ちゅうちょ
17. なだれ
18. めいど
19. めんつ
20. ろれつ

2 学校で用いるまぎらわしい同音異義語

重要度 A

基本的な同音異義語

愛惜…惜しんで大切にすること
哀惜…人の死を悲しみ惜しむこと

改定…制度の改定
改訂…書物の改訂

関心…政治に関心をもつ
歓心…上役の歓心を買う
感心…美技に感心する
寒心…寒心にたえない

強行…強行手段に訴える
強硬…強硬に反対する

最後…一番終わり。最後の努力
最期…命が尽きること

周知…広く知られること
衆知…多くの人々の知恵

条理…物事の筋道。条理を立てる
情理…人情と道理。情理を尽くす

深重…落ち着いて重々しいこと
深長…深みがあり複雑なこと
慎重…注意深く大事をとること

対称…対応する位置にあること
対照…照らし合わせること
対象…目標となるもの

年期…一年を単位とする期間
年季…人を雇う約束の年限

遍在…広く行き渡っていること
偏在…偏って存在すること

未到…まだ到達していない
未踏…誰も入っていない

意見…ある問題についての考え
異見…違った考え

環視…大勢が注目していること
監視…番をして見張ること

奇知…奇抜な発想
機知…とっさに働く鋭い知恵
既知…すでに知られていること
窺知…うかがい知ること

厚意…思いやりのある心
好意…親愛の感情

実態…実際の状態。実態調査
実体…実物の本体。現象と実体

主旨…主な意味。この文の主旨
趣旨…物事の中心となるおもむき

所用…用事。所用ででかける
所要…必要とすること

成算…成功する見込み
清算…後始末。過去を清算する
精算…細かく計算し直すこと

追及…追いつめること
追求…追い求めること
追究…深く究めること

必死…死に物狂い。必死に戦う
必至…不可避のこと

保健…健康を保つこと
保険…損害を償う保証

無常…人生のはかなさ
無情…同情心がないこと

▶**セイサク**

- 実験装置を[1]する。
- 美術担当の山田先生は，みるからに典型的な芸術家タイプの人で，一たび絵画[2]に入るとすべてを忘れて没頭している。

▶**カイトウ**

- 入学志願者の照会・質問に[3]する。
- 教員採用試験問題の[4]を書く。

▶**フシン**

- 不祥事件を起こして，生徒や保護者らの[5]を招く。
- 身元不詳の少年少女や挙動[6]の者を調べるのは悲しい。
- 成績[7]の原因のひとつとして，生活リズムの乱れが考えられる。
- 不肖の息子の更生に[8]する。

▶**シュウギョウ**

- 職場の[9]規則を守る。
- 始業式があって[10]式がある。
- 中学校の[11]年限は，３年とする。

▶**ジテン**

- 百科[12]で宿題を調べる。(コトテン)
- 用語[13]で文字の用例に精通する。(モジテン)
- 英和[14]で言葉の意味を調べる。(コトバテン)

▶**ツイキュウ**

- 責任を[15]する。
- 真理を[16]する。
- 幸福を[17]する。

▶**トウキ**

- 物価が[18]する。
- [19]的な行為は慎め。

▶**ガイカン**

- 内憂[20]こもごも至る。
- 歴史を[21]する。

1. 製作
2. 制作
3. 回答
4. 解答
5. 不信
6. 不審
7. 不振
8. 腐心
9. 就業
10. 終業
11. 修業
12. 事典
13. 字典
14. 辞典
15. 追及
16. 追究
17. 追求
18. 騰貴
19. 投機
20. 外患
21. 概観

3 同音異義語・同訓異字

基本的な同訓異義語

あがる	階段を［上がる］ 国旗が［揚がる］ 犯人が［挙がる］	あつい	［熱い］湯 ［暑い］日 ［厚い］本
あらわす	誠意を［表す］ 姿を［現す］ 徳を世に［顕す］	うける	賞を［受ける］ 父のあとを［承ける］ 工事を［請ける］
うつす	住居を［移す］ 都を［遷す］ 原文を［写す］ 影を［映す］	おさめる	学問を［修める］ 国を［治める］ 成功を［収める］ 税金を［納める］
かえる	貸した金が［返る］ 故郷に［帰る］ あいさつに［代える］ 形を［変える］ 物を金に［換える］	かける	号令を［掛ける］ 命を［懸ける］ 橋を［架ける］ 飛ぶように［駆ける］ 月が［欠ける］
かたい	意志が［堅い］ 頭が［固い］ 表情が［硬い］	さ　す	魔が［差す］ 将棋を［指す］ 虫が［刺す］
た　つ	水を［断つ］ 布を［裁つ］ 消息を［絶つ］ 椅子から［立つ］ ビルが［建つ］	つ　く	気が［付く］ 職に［就く］ 目的地に［着く］ ヤリで［突く］ 鐘を［撞く］
と　る	年を［取る］ 猫が鼠を［捕る］ 社員を［採る］	はかる	時間を［計る］ 距離を［測る］ 目方を［量る］
ふるう	腕を［振るう］ 勇気を［奮う］ 筆を［揮う］	よ　る	労働に［依る］所得 実験に［拠る］結論 漏電に［因る］火災

▶アイショウ
- ●私の[1]歌は「われは海の子」
- ●上司とは[2]が良い
- ●彼の[3]はクマさん
- ●[4]にたえない

▶オカす
- ●分かっていながら[5]す罪
- ●他人の権利を[6]す
- ●危険を[7]す

▶カイシン
- ●大化（の）[8]
- ●[9]の笑みをもらす
- ●往年の大罪人も今では[10]している
- ●院長が[11]する

▶ソナえる
- ●敵の来襲に[12]える
- ●徳を身に[13]える
- ●神仏に[14]える

▶ツぐ
- ●シカゴに[15]ぐ大都市
- ●長男が家を[16]いだ
- ●酒を[17]いで語り合う親友
- ●折れた骨を[18]ぐ

▶ツトめる
- ●学校に[19]める
- ●役目を[20]める
- ●解決に[21]める

▶トウジ
- ●事件の[22]者の言い分をきけ
- ●終戦[23]の記憶
- ●温泉へ[24]に行く
- ●恩師の告別式で[25]をのべる弟子

▶ホショウ
- ●安全[26]条約
- ●身元[27]人
- ●損害の[28]

1. 愛唱
2. 相性
3. 愛称
4. 哀傷
5. 犯
6. 侵
7. 冒
8. 改新
9. 会心
10. 改心
11. 回診
12. 備
13. 具
14. 供
15. 次
16. 継
17. 注
18. 接
19. 勤
20. 務
21. 努
22. 当事
23. 当時
24. 湯治
25. 悼辞
26. 保障
27. 保証
28. 補償

4 四字熟語

基本的な四字熟語

- 暗中模索 → 暗闇の中で手探りで物を探すように，様子が分からず，どうすればよいか分からないままやってみること
- 一陽来復 → 逆境が続いたあと，やっとよいほうに向いてくること
- 快刀乱麻 → 複雑な事物をてきぱきと断ち切るように処理すること
- 疑心暗鬼 → 疑心，暗鬼を生ずといい，心の疑いは妄想を引き起こして，実際にはありもしない鬼の姿が見えるようになるということ
- 厚顔無恥 → 厚かましく恥を知らないこと
- 呉越同舟 → 仲の悪い者同士が同じ場所や境遇にいること
- 周章狼狽 → あわてふためくこと
- 針小棒大 → 針ほどの小さいことを棒ほどに大きく言うこと。大げさに言うこと
- 千載一遇 → 千年に一度しか出会えないような，めったにないよい機会
- 泰然自若 → 落ち着いていて，物事に動じない様子
- 当意即妙 → その場に適応した，即座の機転をきかすさま
- 八面六臂 → 一人で多くの方面にわたって物事を処理する手腕のあること
- 百鬼夜行 → 怪しい者やいかがわしい性向の者がわがもの顔に振る舞うこと
- 面従腹背 → 表面は服従するように見せかけ，内心では反対すること

1. 温故知新 ●おんこちしん [1] 昔の物事を研究して新しい知識や道理を得ること

2. 唯々諾々 ●いいだくだく [2] 他人の言うことに逆らわずに従う様子

3. 五里霧中 ●ごりむちゅう [3] 迷って思案がまとまらないこと

●すいせいむし
4
何もせずに，いたずらに一生を終えること
4. 酔生夢死

●ちょくじょうけいこう
5
自分の思うように実行すること
5. 直情径行

●しんきいってん
6
心持ちががらりと変わること
6. 心機一転

●がいじゅうないごう
7
外見は柔和で，内側はしっかりしていること
7. 外柔内剛

●きゅうたいいぜん
8
以前からの状態のままのこと
8. 旧態依然

●きょうみしんしん
9
心が絶えず引きつけられていること
9. 興味津津

●きょくがくあせい
10
真理にそむいた学問で世俗にこびへつらうこと
10. 曲学阿世

●はくらんきょうき
11
広く書物を読み，よく覚えていること
11. 博覧強記

●どうこういきょく
12
手ぎわは同じでも，とらえ方や趣が違うこと
12. 同工異曲

●ふわらいどう
13
自分に一定の見識がなく，他人の意見にすぐ同調すること
13. 付和雷同

●いっしどうじん
14
差別なく，すべての人に仁愛をほどこすこと
14. 一視同仁

●とうほんせいそう
15
あちこちに忙しくかけまわること
15. 東奔西走

16. 粉骨砕身	●ふんこつさいしん	16 力の限りを尽くし，ほねを折ること
17. 粒々辛苦	●りゅうりゅうしんく	17 こつこつと苦労し，努力を積むこと
18. 無我夢中	●むがむちゅう	18 われを忘れてひたすら行動すること
19. 言語道断	●ごんごどうだん	19 言葉では言い表せないこと
20. 多士済々	●たしせいせい	20 優れた人が多くある様子
21. 異口同音	●いくどうおん	21 多くのものが口をそろえて同じ事を言うこと
22. 才気煥発	●さいきかんぱつ	22 頭脳の働きが活発であること
23. 前代未聞	●ぜんだいみもん	23 今までに聞いたこともないような珍しいこと
24. 竜頭蛇尾	●りゅうとうだび	24 初めは勢いが盛んだが，終わりは振るわないこと

できるかな？

A～Dには漢字１文字が入り，４方向の語と２字の熟語をつくります。さてどんな漢字が入るでしょうか？

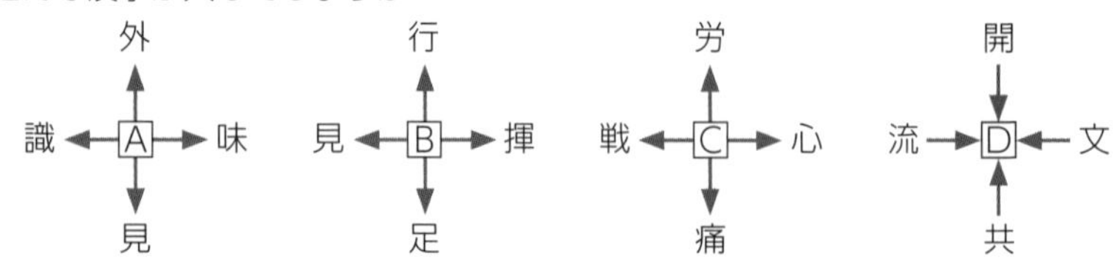

解答：A－意　B－発　C－苦　D－通

5 ことわざ・故事成語

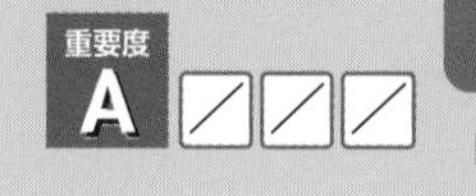

基本的な語句

悪事千里を走る	悪事はすぐに知れわたる
一将功なりて万骨枯る	一人の将軍が功名を立てた陰には，多くの兵が命を捨てて働いたという事実・裏面がある
魚心あれば水心	相手の出方や心次第でこちらの対応のしかたも変わる
果報は寝て待て	人事を尽くして時機を待つよりほかない
好事魔多し	よい事にはとかく邪魔が入りやすい
小人閑居して不善をなす	徳のない者は暇があると，ろくなことをしない
大山鳴動して鼠一匹	前ぶれの騒ぎばかりが大きくて，実際の結果が小さい
点滴石をも穿つ	水の滴も長く続けば石に穴をあけるように，不断の努力が大切であるということ
情けは人の為ならず	人に情けをかければ，やがては自分のところへ返ってくる
柳に雪折れなし	柔軟なものは強剛なものよりかえってよく事に耐える
虻蜂取らず	二つのものを両方とも得ようとして，結局どちらも失うことになる
一寸の虫にも五分の魂	どんな弱小なものでも，生き物である限りそれ相当の意地や思慮もあるのだから，決してばかにできない
勝てば官軍負ければ賊軍	戦いに勝った者が正義となり，負けた者は賊となるのが現実である
聞くは一時の恥，聞かぬは一生の恥	知らないことを人に聞くのは，その場だけの恥で済むが，聞かないでいると一生知らぬことで恥ずかしい思いをすることになる
船頭多くして船山に上る	指揮する人が多くては，かえって物事はうまく運ばない
出る杭は打たれる	出過ぎた振る舞いをすると，人から憎まれる

1. 栴檀（せんだん）	● 1 は双葉より芳し……世にいう偉人は，その幼少のころから優れたところがある。
2. 鷹	●鳶が 2 を生む……ごく普通の平凡な親から非凡な子が生まれること。
3. 麒麟　4. 駑馬	● 3 も老いては 4 に劣る……いかに優れた人でも老いると凡人以下になる。
5. 医者	● 5 の不養生……熟知していることや専門のことは，かえって実行が伴わないこと。
6. 窮鼠	● 6 猫を噛む……弱い者でもせっぱつまって必死に抵抗すれば，逆に強者も不覚をとることがある。
7. 寝耳	● 7 に水……不意のできごとに驚くこと。
8. 覆水	● 8 盆に返らず……一度言ったり，したりしたことは取り返しがつかないというたとえ。
9. 李下	● 9 に冠を正さず……疑いを受けやすい行動は避けるべきだということ。
10. 鶏口	● 10 となるも牛後となるなかれ……大きい者の後に従うよりは，小さくてもその指導者になった方がましだというたとえ。
11. 盗人	● 11 にも三分の理……無理な理屈でも，つければつけられるものであるというたとえ。
12. 海路	●待てば 12 の日和あり……じたばたせず，じっくり待てば，いつかよい時節も到来するものであるという意。

できるかな？

Ａ～Ｅに入る言葉を答えなさい。

季節	月　日	二十四節季	季節	月　日	二十四節季
春	2月　4日頃	立　春	秋	8月　8日頃	（　D　）
	2月19日頃	雨　水		8月23日頃	処　暑
	3月　6日頃	（　A　）		9月　8日頃	白　露
	3月21日頃	春　分		9月23日頃	秋　分
	4月　5日頃	（　B　）		10月　8日頃	寒　露
	4月20日頃	穀　雨		10月23日頃	霜　降
夏	5月　6日頃	立　夏	冬	11月　7日頃	立　冬
	5月21日頃	小　満		11月22日頃	小　雪
	6月　6日頃	芒　種		12月　7日頃	大　雪
	6月21日頃	（　C　）		12月22日頃	（　E　）
	7月　7日頃	小　暑		1月　5日頃	小　寒
	7月23日頃	大　暑		1月20日頃	大　寒

解答：A－啓蟄　B－清明　C－夏至　D－立秋　E－冬至

6 西洋文学史

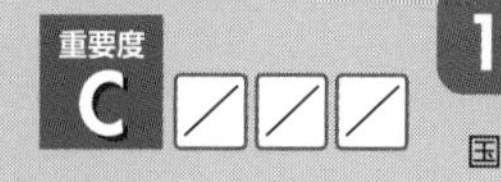

西洋文学の作品と作者

イソップ物語→アイソーポス
ユートピア→**トマス＝モア**
ドン＝キホーテ→セルバンテス
失楽園→ミルトン
若きヴェルテルの悩み→**ゲーテ**
谷間の百合→バルザック
緋文字→ホーソン
悪の華→ボードレール
父と子→ツルゲーネフ
罪と罰→**ドストエフスキー**
地獄の季節→ランボー
女の一生→**モーパッサン**
どん底→ゴーリキー
失われた時を求めて→プルースト
変身→**カフカ**
静かなるドン→ショーロホフ
大地→パール＝バック
風と共に去りぬ→ミッチェル
デカメロン→**ボッカチオ**
ハムレット→**シェイクスピア**
人間嫌い→モリエール
ガリヴァー旅行記→スウィフト
赤と黒→**スタンダール**
即興詩人→**アンデルセン**
嵐が丘→ブロンテ
レ・ミゼラブル→ユーゴー
戦争と平和→**トルストイ**
若草物語→オルコット
トム・ソーヤーの冒険→トウェイン
桜の園→チェーホフ
狭き門→**ジイド**
ユリシーズ→ジョイス
武器よさらば→**ヘミングウェイ**
西部戦線異状なし→レマルク
北回帰線→ヘンリー＝ミラー
怒りの葡萄→**スタインベック**

▶作者と国名

1．無限の知識・生活・行動欲を持つファウストが世界を遍歴する物語。『**ファウスト**』

1. ゲーテ（ドイツ）

2．学問や才能を持っていながら，貴族や金持ち階級の権力に圧迫され，出世を妨げられたジュリアン＝ソレルの一生の物語。『**赤と黒**』

2. スタンダール（フランス）

3．農奴制下ロシア農民の姿を淡々と描き出している。『猟人日記』

3. ツルゲーネフ（ロシア）

4．甘やかされて育ったノラが，結婚しても人形のように扱われたが，自我にめざめ，「一人の人間として生きたい」と家を出る物語。『**人形の家**』

4. イプセン（ノルウェー）

5．フロンティア精神に満ちたアメリカの民衆の生活，自然をうたった詩集。『**草の葉**』

5. ホイットマン（アメリカ）

6. ユーゴー（フランス）	6．一切れのパンを盗み投獄された貧しきジャン＝バルジャンの魂がミリエル司教の愛によって良心を取り戻すという物語。**『レ・ミゼラブル』**
7. トルストイ（ロシア）	7．ナポレオンのロシア侵攻を背景に，19世紀ロシア上流社会の人々の生活を中心に戦争の悲惨さを訴えた。**『戦争と平和』**
8. チェーホフ（ロシア）	8．貴族階級の没落はブルジョワジーの台頭という社会変動を表す。**『桜の園』**
9. ロマン＝ロラン（フランス）	9．ドイツ人音楽家，ジャン＝クリストフを主人公に，天才の苦難と歓喜に満ちた生涯を描く。**『ジャン＝クリストフ』**
10. ミッチェル（アメリカ）	10．南北戦争を背景に，スカーレット＝オハラの恋を中心にした物語。**『風と共に去りぬ』**
11. スタインベック（アメリカ）	11．貧農ジョウドー家を通して資本主義社会の状況の苦しさを描く。**『怒りの葡萄』**
12. ショーロホフ（ロシア）	12．戦争や革命などの動乱を背景に，コサックの青年が自分の生きる道を求めてさまよう姿を描く。**『静かなるドン』**
13. マルタン＝デュ＝ガール（フランス）	13．第一次大戦勃発の危機をはらんだ時期から戦争へという状況の中で，若い世代の魂の苦悩と行動を描いた。**『チボー家の人々』**
14. ボーヴォワール（フランス）	14．あらゆる面から女の生き方を考察し，女の問題を通じて根本的な「人間の自由」を考えさせる。**『第二の性』**
15. ヘミングウェイ（アメリカ）	15．サンチャゴ老人の徒労にかける姿を淡々と描いた。**『老人と海』**
16. ドストエフスキー（ロシア）	16．頭脳から踏出された理論と人間の心にひそむ神性との相克を，精密な心理描写によって描いた。**『罪と罰』**
17. パール＝バック（アメリカ）	17．20世紀の激動する中国で，強靱に生きる農民を描く。**『大地』**
18. ジイド（フランス）	18．主人公アリサを通して非人間的な自己犠牲のむなしさを批判。**『狭き門』**

7 日本文学史

重要度 B ／ ／ ／

日本文学の作品と作者

〔大和・奈良時代〕
『**古事記**』太安万侶（安麻呂），『**日本書紀**』舎人親王等，『**万葉集**』大伴家持等
〔平安時代〕
『**枕草子**』清少納言，『**源氏物語**』紫式部
〔鎌倉時代〕
『**方丈記**』鴨長明，『**徒然草**』兼好法師
〔南北朝時代〕
『**太平記**』（未詳）
〔室町時代〕
『**風姿花伝**』（『花伝書』）世阿弥元清
〔江戸時代〕
『好色一代男』井原西鶴，『**奥の細道**』松尾芭蕉，『曽根崎心中』近松門左衛門，『**東海道中膝栗毛**』十返舎一九，『浮世風呂』式亭三馬，『**南総里見八犬伝**』曲亭（滝沢）馬琴
〔明治・大正・昭和・平成〕
『舞姫』森鷗外，『**破戒**』島崎藤村，『吾輩は猫である』夏目漱石，『暗夜行路』志賀直哉，『羅生門』芥川龍之介，『腕くらべ』永井荷風，『細雪』谷崎潤一郎，『**伊豆の踊子**』川端康成，『人間失格』太宰治，『金閣寺』三島由紀夫，『太陽の季節』石原慎太郎，『飼育』大江健三郎，『1Q84』村上春樹

▶712年に［ 1 ］が完成された。これは**稗田阿礼**に誦み習わせたものを，［ 2 ］が筆録したものである。これは**紀伝体**で記されている。

▶720年に［ 3 ］を中心として［ 4 ］が撰録された。これは中国の史書の体裁にならって［ 5 ］体で記されている。このあと，国史編纂は継続され，10世紀の初めまでに［ 6 ］を含め6つの歴史書が完成した。これを総称して［ 7 ］という。

▶平安時代の日記，随筆では，「男もすなる日記といふものを，女もしてみむとてするなり」で始まる［ 8 ］の『［ 9 ］』，「春はあけぼの，やうやう白くなりゆく山ぎはすこしあかりて，紫だちたる雲の細くたなびきた

1. 古事記
2. 太安万侶（安麻呂）
3. 舎人親王
4. 日本書紀
5. 編年
6. 日本書紀
7. 六国史
8. 紀貫之
9. 土佐日記

10. 清少納言
11. 枕草子
12. 菅原孝標女
13. 更級日記
14. 蜻蛉日記
15. 和泉式部日記
16. 紫式部日記
17. 今鏡
18. 慈円
19. 吾妻鏡

る」で始まる[10]の『[11]』，「東路の道の果てよりも，なほ奥つ方に生ひ出でたる人，いかばかりかあやしかりけむ」で始まる[12]の『[13]』などが代表的である。そのほか，**藤原道綱母**の『[14]』，**和泉式部**の『[15]』，**紫式部**の『[16]』などがある。歴史物では，『[17]』が作られた。

▶鎌倉時代の歴史物では，『水鏡』がある。また滅びゆく貴族の社会を見つめ，時代の変遷を冷静な目でとらえた『**愚管抄**』は[18]の作で，史論書として名高い。そして『[19]』は，鎌倉幕府の事蹟をとらえたものである。

20. 松尾芭蕉
21. 奥の細道

▶江戸時代の**俳文**としては『月日は百代の過客にして行きかふ年もまた旅人なり』で始まる[20]の『[21]』がある。

22. 坪内逍遥
23. 二葉亭四迷

▶西洋の近代文学の影響を受け，文学に芸術としての価値を認めようという考えのもとで，明治18年[22]は『**小説神髄**』を著して**勧善懲悪**的小説を排し，『当世書生気質』によって**写実主義**を説いた。ついで[23]は，明治20年『**浮雲**』で**言文一致体**を説いた。

24. 志賀直哉
25. 武者小路実篤
26. 有島武郎
27. 横光利一
28. 川端康成
29. 堀辰雄
30. 井伏鱒二

▶雑誌「白樺」を中心として明るく人道的な雰囲気をもっていた**白樺派**の作家には，『暗夜行路』，『和解』の[24]，『友情』，『愛と死』の[25]，『カインの末裔』，『或る女』の[26]などがいた。

▶当時全盛の**プロレタリア文学**に対抗した**新感覚派**では，『日輪』『機械』の[27]や『**雪国**』『**伊豆の踊子**』の[28]など，また，新心理主義の[29]は，『風立ちぬ』，『かげろふの日記』などの作品で，詩情豊かで古典的な美をさぐった。さらに，『黒い雨』，『本日休診』などの[30]は，新興芸術派として，庶民の生活を悲哀やユーモアを交えて，巧みな文章で表現した。

できるかな？

＊時代－作品－作者－分野の順です。

①平安－（ A ）－紀貫之－日記
②平安－源氏物語－（ B ）－物語
③鎌倉－（ C ）－鴨長明－随筆
④鎌倉－（ D ）－兼好法師－随筆
⑤江戸－（ E ）－松尾芭蕉－紀行文
⑥江戸－東海道中膝栗毛－十返舎一九－（ F ）
⑦江戸－おらが春－（ G ）－俳文集
⑧明治－赤光－（ H ）－歌集
⑨大正－（ I ）－石川啄木－歌集

解答：A土佐日記　B紫式部　C方丈記　D徒然草　E奥の細道　F滑稽本　G小林一茶　H斎藤茂吉　I一握の砂

8 漢　文

重要度 B

中国文学の作品と作者

B.C.450	『論語』孔子
1C	『史記』司馬遷
A.D.806	『長恨歌（ちょうごんか）』白居易
1084	『資治通鑑（しじつがん）』司馬光
1368～1644	『水滸伝（すいこでん）』施耐庵（したいあん）（または羅貫中（らかんちゅう））
14C	『三国志演義（さんごくしえんぎ）』羅貫中
16C	『西遊記』呉承恩
1679	『聊斎志異（りょうさいしい）』蒲松齢（ほしょうれい）
1760	『紅楼夢（こうろうむ）』曹雪芹（そうせっきん）

【学問に関する漢文】

▶『少年老ひ易く学成り難し。一寸の[1]軽んずべからず』（朱子）

＝若い者はすぐに老いてしまうが，**学問**の完成には時間がかかる。だからこそ，ちょっとした**時間**であっても無駄にしてはならない。

▶『学んで時に之（こ）れを習ふ，また説（よろこ）ばしからずや。朋（とも）有り遠方より来たる，また楽しからずや』（論語）

＝学んだことを折にふれて**復習**してみる。なんと喜ばしいことではないか。そうしているうちに遠方から**友人**が訪ねてきて[2]について論じあう。なんと楽しいことではないか。

▶『学びて思はざれば則ち罔（くら）し。[3]て学ばざれば則ち殆（あやふ）し』（論語）

＝ただその事を学ぶだけでその理屈を**思索**しなければ，心がくらくて何も悟りうることはない。また，その理屈を**思索**するだけでその事を学ばなければ，空想に過ぎないから危うくて不安を免れない。

▶『尽（ことごと）く書を信ずれば則ち書無きに如かず』（孟子）

＝すべて本に書いてあることを信用するようなら，

1. 光陰
2. 学問
3. 思ひ

4. 書経（しょきょう）
5. 知らず

いっそ本は無いほうがましである。どんな本にも誤りはあるもので，その点を心得て読むべきである。書とは元来，[4]をさす。

▶『之を知るを之を知ると為し，知らざるを[5]為す。是（こ）れ知るなり』（論語）

＝知っていることを知っているとし，知らないことを知らないとせよ。つまり，これが真に知るということなのである。

【教育に関するもの】

6. 学

▶『教[6]相長（あいちょう）ず』（礼記（らいき））

＝人を**教える**ことと人について**学ぶ**ことは，互いに助け合って，自分の学問を進歩させる。

7. 教育

▶『君子に三楽あり。…（略）…天下の英才を得て，之を[7]するは，三の楽なり。君子に三楽あり。而して天下に王たるは，あずかり存せず』（孟子）

＝学徳あるりっぱな人には三つの楽しみがある。…（略）…天下の英才を集めて**教育**するのは三つめの楽しみである。王者となることは含まれない。

8. 師
9. 師
10. 師

▶『古（いにしへ）の学ぶ者は必ず[8]有り。[9]は道を伝へ業を授け，惑ひを解くゆえんなり。人は生まれながらにしてこれを知る者にあらず。たれかよく惑ひなからん。惑いて[10]に従はざればその惑ひたるや終（つい）に解けざらん』（師説（しのせつ））

＝昔の学問をするものには，必ず**教師**があった。**教師**とは道理を教え，技術を授け，惑いを解いてくれるための人である。人間は，生まれたときから道理や技術を知っているものではない。惑いのないような人がいようか，いるはずはないのだ。惑いにとらわれたままで，**教師**につかなければ，その惑いというものは，一生解けないであろう。

9 敬語の用法

重要度 A ／／／

⊙尊敬語

1．**尊敬**の意味を表す接頭語・接尾語をつける。……お・ご・み・さま・君（くん）・先生　など
2．**尊敬**の意味の体言を用いる。……君（きみ）・あなた・どなた・おかあさん・先生　など
3．**尊敬**の意味の動詞・補助動詞を用いる。……いらっしゃる・くださる・おっしゃる・めしあがる・ごらんになる・（お）～（に）なる　など
4．**尊敬**の助動詞「れる・られる」を用いる。

⊙謙譲語

1．**謙譲**の意の接頭語を用いる。……拙宅・小生・拝見・弊社　など
2．**謙譲**の意の体言を用いる。……私・ぼく・手前・自分　など
3．**謙譲**の意の動詞・補助動詞を用いる。……あげる・あがる・いたす・いただく・うかがう・うけたまわる・まいる・さしあげる・申す・申しあげる・ちょうだいする・お目にかかる・退出する・（お）～する　など

⊙丁寧語

1．**丁寧**の意の動詞を用いる。……いただく（食べる）　など
2．**丁寧**の意の動詞・補助動詞を用いる。……ございます・おります　など
3．**丁寧**の助動詞「です・ます」を用いる。
4．**丁寧**の意の接頭語を用いる。……お・ご　など

ただし，文体には次の３体がある。
常体→「だ調・である調」
敬体→「です調・であります調」
特別敬体→「でございます調」

尊敬の表現「（お）～（に）なる」と，**謙譲**の表現「お～する」とは似て非なる表現であることに注意。

1. E

▶「当窓口では，写真は，お客様がお待ちしている間に作成致します。」の敬語表現について，下記のうち正しいのは[1]。

A　お待ちしている→お待ちなさる
B　正しいから，添削不要。
C　写真→お写真
D　お待ちしている→お待ち申しあげている
E　お待ちしている→お待ちになっている

2. 名詞

▶接頭語の「お」は，元来は[2]の上について，その**所有主**などを敬う働きをするものである。また，ある物事がだれへの，だれに向かっての物事であるのかに関心が向けられ，その「だれ」が敬語で待遇すべき人であった場合にも用いられる。このような**接頭語**は[3]を表すことになる。そして，「お～する」の表現もその**接頭語**の働きをもとにして，しだいに受け手に対する[4]的な敬意を示すようになってきた。

3. 謙譲

4. 間接

▶謙譲語は，**自分**および**自分**の側に立つものを低めることによって，[5]的に相手を高める働きをする語である。

5. 間接

6. ⑤

▶新任教員が校外の人と話す場合，正しいのは[6]。
①校長は，いま出張しておられますので，学校にはいらっしゃいません。
②校長は，いま出張していらっしゃいますので，学校にはおりません。
③校長は，いま出張していらっしゃいますので，学校にはいらっしゃいません。
④校長は，いま出張していますので，学校にはいらっしゃいません。
⑤校長は，いま出張しておりますので，学校にはおりません。

7. おとうさん→父，なさる→する

▶「先生，明日の父親参観日には，おとうさんは欠席なさるそうです。」で，敬語の用法に誤りがあれば，それを抜き出して訂正しなさい。[7]

10 品詞の分類と用法

重要度 A

品　詞

すべての単語を，文法上の性質・働きの点から分類したもの。

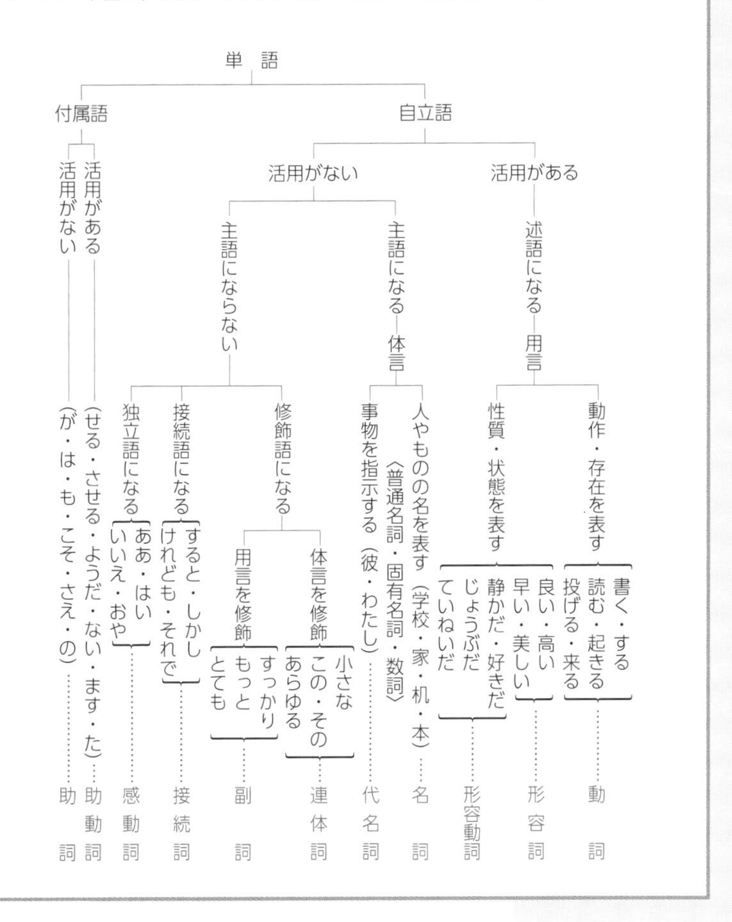

1．品詞分類

▶**自立語**で，**活用**があり，その語だけで**述語**になれるのは[1]である。

▶**自立語**で，**活用**がなく，「が」を付属させて**主語**になれるのは[2]である。

▶**自立語**で，**活用**がなく，**修飾語**にしかなれないのは[3]である。

▶**自立語**で，**活用**がなく，**独立語**にしかなれないのは[4]である。

▶**付属語**で，活用がないのは[5]である。

2．品詞の用法と区別

▶「あの，ちょっと……」の下線部分は[6]である。

▶「静かで物音一つしない」の下線部分は[7]である。

▶「僕が悪かった」の下線部分は[8]である。

▶「行ってみたが，留守だった」の下線部分は[9]である。

▶「行ってみた。が，留守です」の下線部分は[10]である。

▶「よくわからない」の下線部分は[11]である。

▶「夕方から雨が降るそうだ」の下線部分は[12]である。

▶「夕方は雨になりそうだ」の下線部分は[13]である。

▶「そうだ，東京都の採用試験を受けよう」の下線部分は[14]である。

▶「誰か呼んでいるよ」の下線部分は[15]である。

▶「君だから合格できたんだよ」の下線部分は[16]である。

▶「この本を実習後のひと月で読破する人には必ず栄光の辞令交付がある」の下線部分は[17]である。

▶「勉強する」の下線部分は[18]である。

1. 動詞，形容詞，形容動詞
2. 名詞，代名詞
3. 副詞，連体詞
4. 感動詞
5. 助詞
6. 感動詞
7. 形容動詞
8. 格助詞
9. 接続助詞
10. 接続詞
11. 助動詞
12. 伝聞助動詞
13. 推定助動詞
14. 感動詞
15. 副助詞
16. 接続助詞
17. 五段動詞
18. サ変動詞

11 まぎらわしい品詞用法

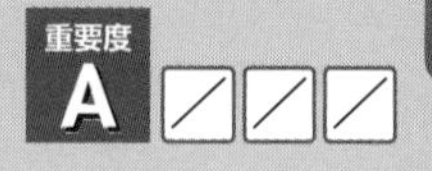

あの子はだあれ。	連体詞
あのかたにあげなさい。	名詞

ある朝のことです。	連体詞
敷地内に池が**ある**。	五段動詞

東京**および**神奈川。	接続詞
それには**および**ません。	五段動詞
彼なんか，**および**でない。	名詞

か細い声で泣いていた。	形容詞接頭語
だれ**か**呼んでいるよ。	副助詞
あれはなんです**か**。	終助詞

いったい何人**くらい**来たの。	副助詞
くらいがずっと上だ。	名詞

心配していた**けれど**無事に子が生まれた。	接続助詞
心配していた。**けれど**無事に子が生まれた。	接続詞

これはなんですか。	代名詞
これ，うるさいぞ。	感動詞

さ霧たなびく湖畔での語らい…	名詞接頭語
暑さ寒さも彼岸まで。	名詞
さ，勉強を始めようぜ。	感動詞
まあ，なんとかなる**さ**。	終助詞

彼をこの部屋に来**させる**。	使役助動詞
基礎から勉強**させる**。	動詞＋使役助動詞

お茶？　**それとも**ジュース？	接続詞
欲しい物は，**それとも**違う。	代名詞＋格助詞＋副助詞

あの教授はいい人**だ**。	断定助動詞
この原書を最後まで読ん**だ**。	完了助動詞
すでに出かけた**ようだ**。	不確定断定助動詞
もうすぐ脱稿し**そうだ**。	推定助動詞
とても**静かだ**。	形容動詞
だが，あれでよいのだろうか。	接続詞

早く行き**たい**。	希望助動詞
冷**たい**ビールが欲しい。	形容詞
おめでたいことだ。	形容詞

車**で**行こう。	格助詞
飛行機が飛ん**で**いる。	断定助動詞
これが醤油**で**あれがソースです。	接続助詞
留守だった。**で**，帰った。	接続詞
静かで，物音一つしない。	形容動詞

何と**でも**言え！	副助詞
いくら呼ん**でも**返事がない。	接続助詞
でも，やはりいけないよ。	接続詞
彼は学者で，教育者**でも**ある。	断定助動詞＋副助詞
それほど**静かでも**ない。	形容動詞＋副助詞

決して忘れる**な**。	終助詞・禁止
確かにきれいだ**な**。	終助詞・感動
な，わかっただろう。	感動詞
そこが問題**な**のだ。	断定助動詞
朝**な**夕**な**にのぞきにくる。	名詞接尾語
決して**死な**ない不死身の主人公だ。	五段動詞
とても**正直な**生徒だ。	形容動詞
大きな犬が寝ている。	連体詞

2
日本史

1 古代国家

古代の流れ

文化時期	年代	政治形態	生活文化	遺跡
先土器文化／縄文文化	2万～ 1万年前	原始共同社会	・自然採集経済 （狩猟・漁撈・採集） ・岩陰，洞窟住居	岩宿 富沢
			・**自然採集経済** （狩猟・漁撈・採集） （中期以降原始農耕？） ・**竪穴式住居**（たてあなしき） ・**縄文式土器，土偶，貝塚**	三内丸山 亀ヶ岡
弥生文化	B.C.2～3C	ムラの形成 小国分立	・**農耕経済**，自然採集経済 ・竪穴式住居 ・**高床式倉庫**（たかゆかしき） ・金属器（鉄器，**青銅器**） ・ムラからクニへ （奴国や**邪馬台国**の出現）	登呂 板付 吉野ヶ里
古墳文化	A.D.2～3C	ヤマト政権 豪族連合国家 天皇――豪族	・ヤマト政権 ・**氏姓制度** ・**古墳** ・**埴輪**（はにわ） ・**渡来人**の文化 （漢字，紙，儒教，仏教，機織り，鍛冶など）	キトラ古墳 纏向

1946年群馬県[1]で関東ローム層の中から**打製石器**のかけらが発見された。それまで日本には先土器時代の存在を確証する証拠がなかったため，日本史をぬりかえる発見となった。

紀元前1万3000年前から紀元前2500年前の時代を縄文時代という。この時代は**自然採集**の経済で，まだ身分の差がなかったとされる。

弥生時代になると，大陸から**金属器**と**水稲耕作**の技術が伝わった。おもに[2]は祭具用に，[3]は武具や農耕用に使われた。水稲耕作の発達はその知識，技術や貯蔵方法などにより貧富の差を生み出した。静岡県の[4]遺跡が有名である。

当時日本には文字がなかったため，中国の書物に頼らざるをえない。紀元前2～1世紀のことを伝える[5]では，日本が百余国に分かれているとされている。57年には「倭の奴の国王」が金印を[6]より授けられたと『後漢書』東夷伝に記されている。239年には**邪馬台国**(やまたいこく)の女王[7]が国を従えている記述が[8]にみられる。この**邪馬台国**の位置については**北九州説**と**大和説**が有力である。これによりヤマト政権の**統一の時期**が大きく左右される。

日本をほぼ統一したヤマト政権は，豪族が血縁集団の氏と呼ばれる集団をつくり，大王から臣(おみ)・連(むらじ)などの姓を与えられ，代々決まった仕事についた。これを[9]という。

ヤマト政権の対外政策は，朝鮮においては391年高句麗(こうくり)遠征を行ったと『[10]の碑文』にある。中国には臣下の立場をとり，倭の五王が中国に使者を送り朝鮮半島南部の支配権を認めてもらおうと努めたことが[11]に記されている。

ヤマト政権の時代は巨大な古墳がつくられたことから**古墳文化**といわれ，[12]が多数作られ副葬品と一緒に古墳に収められた。また，4世紀以降渡来人が**漢字**，**儒教**，紙，養蚕技術，鍛冶などを伝えた。538年（552年説もあり）には百済(くだら)より[13]が伝えられた。

1. 岩宿(いわじゅく)
2. 青銅器
3. 鉄器
4. 登呂
5. 『漢書』地理志
6. 光武帝
7. 卑弥呼
8. 『魏志』倭人伝
9. 氏姓制度
10. 好太王碑（広開土王）
11. 『宋書』倭国伝
12. 埴輪(はにわ)
13. 仏教

2 律令国家

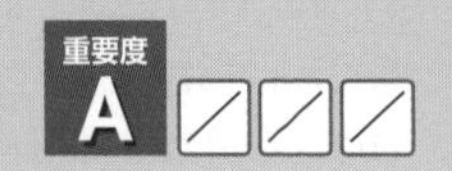

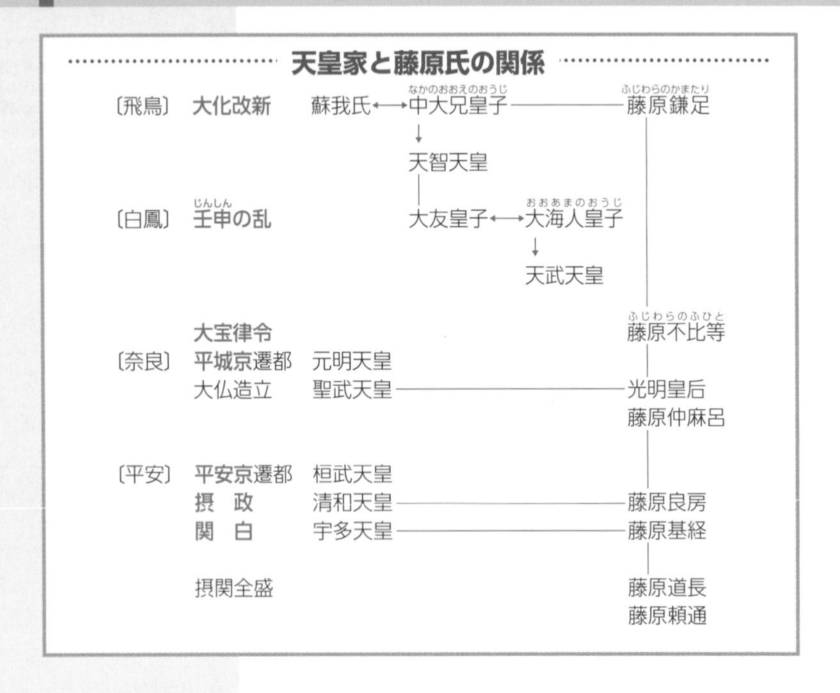

隋が中国を統一し，その後，続いて唐にかわり東アジアに大きな影響を及ぼした。

593年**推古天皇**の摂政となった［ 1 ］は，豪族たちをおさえるため603年［ 2 ］，翌年［ 3 ］の制定をはじめ，諸改革を行った。また［ 4 ］を**隋**に派遣するなど積極的な外交政策を展開した。

［ 5 ］の没後，蘇我氏はますます権勢をふるってきた。そのため645年［ 6 ］・中臣鎌足らが蘇我氏をおそい滅亡させた。翌年には**改新の詔**（みことのり）によって**租・庸・調**や雑役が決められた。特に**租**は［ 7 ］のもとに6歳以上の人民に**口分田**（くぶんでん）が貸し出された。

その後、天皇中心の律令国家をめざし、701年**藤原不比等**らによって［ 8 ］が完成された。**二官八省**を設

1. 厩戸王（うまやとおう）（聖徳太子）
2. 冠位十二階
3. 憲法十七条
4. 小野妹子（おののいもこ）
5. 厩戸王
6. 中大兄皇子
7. 班田収授法（はんでんしゅうじゅのほう）
8. 大宝律令

け、地方を国・郡・里に分けて、北九州には**防人**(さきもり)が警防のために置かれた。

710年平城京遷都などによる財政難を背景に、723年[9]が出された。しかし効果があがらず、20年後[10]の制定により**公地公民**制の原則がくずれ、**荘園**が発生した。また、奈良時代は仏教の力によって国の乱れを鎮めようとし、国ごとに[11]や国分尼寺、都に**東大寺**大仏が建立されるなど仏教を厚く信仰した。

8世紀末に[12]によって都は**平安京**に遷された。その後律令政治の建て直しを図るためいくつかの改革が行われた。また，東北地方の**蝦夷**(えみし)を征討するために[13]を**征夷大将軍**に任命し，802年には根拠地を胆沢城(いさわじょう)に進めた。

9世紀になると藤原氏は他の貴族を次々に退け，娘を天皇の后にしてその地位を確固たるものとした。858年藤原良房が[14]となり，884（887）年**藤原基経**が[15]になった。全盛期を迎えるのは**藤原道長**，**頼通**父子のときで「この世をばわが世とぞ思ふ望月のかけたることもなしと思えば」で知られる。

しかし，貴族の栄華な繁栄ぶりと**国司**の横暴により律令体制を支える農村は疲幣し国は乱れていった。935年[16]や**藤原純友**(ふじわらのすみとも)の乱（承平(しょうへい)・天慶(てんぎょう)の乱）を始め各地で反乱が相次ぎ，これを鎮めたのは武士であった。その中で**清和源氏**と**桓武平氏**が大きな力をもち対立していくようになった。

1086年[17]が**院政**を始めるとその警備のため武士が起用されるようになった。**保元**(ほうげん)**の乱**，**平治の乱**を通じて[18]が勢力を誇り，太政大臣になり一族を高位高官につけ，**大輪田泊**(おおわだのとまり)を修築し，**日宋貿易**を始めた。しかし，「平氏にあらずんば人にあらず」という政治は反感を強めていった。

9. 三世一身法(さんぜいっしんのほう)
10. 墾田永年私財法(こんでんえいねんしざいほう)
11. 国分寺
12. 桓武天皇
13. 坂上田村麻呂(さかのうえのたむらまろ)
14. 摂政
15. 関白
16. 平将門(たいらのまさかど)
17. 白河上皇
18. 平清盛

● Reference

■末法思想

釈迦の死後2000年が過ぎると末法の世となり，仏法がおとろえて世の中が乱れるという思想が根強く信じられた。日本では1052年から末法の時代に入るとされた。そのため死後に極楽浄土への生まれ変わりを願い，浄土教をとなえ阿弥陀如来がたくさん作られた。しかし仏師が如来の手の形（印相）を間違え，釈迦如来をたくさん作ってしまったので売れなくなった。「お釈迦になる」という語源である。

3 封建社会

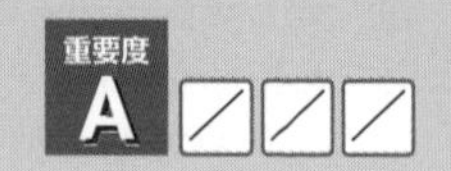

封建社会の政治のしくみ

鎌倉	鎌倉幕府成立	武士──公家	・二元政治
	源氏		・**承久の乱**
	北条氏	地頭・御家人	・武士の支配
南北朝	建武の新政		・天皇親政，失敗
		守護大名	
室町	室町幕府成立		
			・応仁の乱
戦国		戦国大名	・分国法の制定

1. 源頼朝

驕れる平氏を倒した［ 1 ］は，武士として政権を獲得した。公家化した平氏に代わり，都より離れた源氏の基盤の地として自然の要塞である鎌倉に幕府を開いた。また，1192年**征夷大将軍**に任ぜられた。「**御恩**」と「**奉公**」の主従関係を結ぶ封建社会の時代に入ったといえる。

源氏は3代で滅びたが，**執権**として北条氏がその後幕府を支えていくことになった。それに対し朝廷側は政権奪回の好機ととらえ，1221年［ 2 ］を起こしたが，幕府によって鎮められた。朝廷側の荘園は没収され，開幕時より続いた二元支配は崩れた。1232年には武士として初めての法律［ 3 ］が制定されたのも，その力を示すものであった。

2. 承久の乱
3. 御成敗式目（貞永式目）
4. フビライ＝ハン
5. 文永の役
6. 弘安の役

一方，短期間で中国を支配した［ 4 ］は，日本にもその野望を向け，1274年［ 5 ］，1281年［ 6 ］と2度にわたり来襲した。これを**元寇**という。**元寇**によって多くの犠牲をはらったが，得た土地はなく，御家人は窮乏していった。そのため**永仁の徳政令**が出されたが，その結果幕府の信用はなくなり，1333年**後醍醐天皇**，**楠木正成**，**足利尊氏**らによって滅ぼされた。

7. 建武の新政

後醍醐天皇による［ 7 ］は武士を軽くみたことから足

利尊氏が反乱を起こし，天皇は**吉野**（**南朝**）へ逃れ，京都では新しく天皇をたて（**北朝**），いわゆる**南北朝時代**を迎えたのである。この中で1338年**足利尊氏**は征夷大将軍に任ぜられ，室町幕府を開いた。

一方，各国の守護は，現地の武士と主従関係を結び荘園に侵出し，いわゆる［ 8 ］になる。このように室町幕府は守護大名の連合政権の色彩を強めていくこととなった。

南北朝を合一したのは３代将軍［ 9 ］のときで，**日明貿易**（勘合貿易），**倭寇**の取り締まりなど対外関係にも積極的に乗り出し絶頂期を迎え，その象徴として京都北山に**金閣**を築いた。

８代将軍［ 10 ］は，**銀閣**に代表されるように文化志向のため政治は乱れ，将軍の継嗣問題，守護大名の対立などから1467年［ 11 ］が起こった。この争いは京都を舞台に10年余り続き，社会は荒廃する中，**下剋上**（げこくじょう）の風潮を生み出し，**戦国大名**の出現をみるに至った。また，1485年**山城の国一揆**（くにいっき），1488年**加賀の一向一揆**などに代表される一揆も頻発した。

このような情勢の中で，戦国大名は［ 12 ］を制定し，天下の覇者を夢見る戦国時代に突入し，群雄が割拠した。

1543年，ポルトガル人によって［ 13 ］が伝わり，1549年には**宗教改革**によって痛手を被ったカトリック系の**フランシスコ＝ザビエル**が［ 14 ］を伝えた。これらはヨーロッパ人が来日し，進んだ文化をわが国に伝えたといえる。この［ 15 ］を積極的に取り入れ，戦術をたくみに操作した者が天下を統一することにつながった。

やがて地の利を生かし**織田信長**などの大名が登場したが，武田信玄，上杉謙信，伊達政宗などの諸大名は都より遠すぎて簡単に京に攻めのぼれなかった。

8. 守護大名
9. 足利義満
10. 足利義政
11. 応仁の乱
12. 分国法
13. 鉄砲
14. キリスト教
15. 鉄砲

● Reference

■ マルコ＝ポーロ

イタリアの商人マルコ＝ポーロは，父と共に元を訪れ17年間滞在した。中国各地を旅し，帰国後『世界の記述（東方見聞録）』でアジア各地で見聞したことを著した。そこに黄金の島ジパングと日本のことが紹介され，Japanの語源になった。

4 天下統一

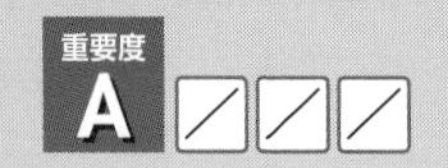

江戸幕府の政治の流れ

将軍	特色	事柄
1～3代	幕藩体制確立期 武断政治	関ヶ原の戦い，開幕，鎖国政策，禁教令，参勤交代
4～7代	文治政治	由井正雪(ゆいしょうせつ)の乱，正徳(しょうとく)の政治
8～12代	幕藩体制の矛盾，三大改革	享保，寛政，天保
13～15代	幕末，武家政治の終焉	ペリー来航，大政奉還

「織田がつき，羽柴がこねし天下餅，座りしままに食ふは徳川」という言葉にあるように，信長，秀吉，家康の登場は戦国時代の終焉とともに日本の「絶対王政」の時代を迎えた。

織田信長は，1560年桶狭間(おけはざま)で［ 1 ］を破り，天下にその名を知られるようになった。そして1573年，将軍［ 2 ］を追放し，**室町幕府**を滅ぼした。**鉄砲**を活用し，仏教勢力を打破するためキリスト教を保護し，**延暦寺**(えんりゃくじ)を焼打ちにした。**楽市**(らくいち)・**楽座**(らくざ)を始め，今までの概念にとらわれない彼の政策は功を奏した。

しかし統一目前にして部下の［ 3 ］の謀反にあい，［ 4 ］を倒した**豊臣（羽柴）秀吉**が信長の後継者の地位を獲得し，1590年全国を統一した。彼の政策は近世封建社会には欠かせないもので，**兵農分離**のための［ 5 ］，**一地一作人**の原則として［ 6 ］など，広範囲におよび，その野望は国内だけでは飽きたらず朝鮮へ２度にわたり出兵（**文禄の役**，**慶長の役**）した。

秀吉は，征夷大将軍には任官せず，朝廷の権威を利用し**関白**になり，**五大老・五奉行**のしくみで政治を行ったが，２度にわたる朝鮮出兵は武将の対立を表面化させた。この出兵に参加せず力を貯えた**徳川家康**と，秀吉に取り立てられた［ 7 ］の対立は，秀吉の死後天下を二分するようになり，1600年に［ 8 ］が起こった。

1. 今川義元
2. 足利義昭
3. 明智光秀
4. 明智光秀
5. 刀狩令
6. 太閤検地
7. 石田三成
8. 関ヶ原の戦い

勝った東軍家康は，1603年**征夷大将軍**に任ぜられ，江戸に幕府を開いた。政治のしくみは，**老中**を筆頭に，**旗本・御家人**の統率として若年寄，寺社奉行，**京都所司代**など，強固な幕藩体制をしいて各方面への取り締まりを厳重にした。大名に対しては，**武家諸法度**，3代将軍[9]のときには[10]が制度化され，大名はその出費に苦しむことになった。また大名を**親藩・譜代・外様**に分け，領土支配，統制をした。朝廷に対しては[11]，農民に対しては[12]を出し，五人組による連帯責任制をしいた。

一方，キリスト教，貿易は厳しく統制し，1637年の[13]後，貿易は長崎の**出島**でオランダと中国に限定され，いずれかの寺院に属さなければならない**寺請制度**を制定した。鎖国は以後200年余り続き，日本は世界の発展からとり残されたが，一方これにより長期にわたる強固な独裁政権が続くこととなった。

幕府の強力な**武断政治**は諸国の大名に恐れられ，そのため多くの大名が改易され，浪人を生み出した。その中で1651年[14]の乱が起こり**文治政治**へと転換していくことになった。

また，[15]によって大名は窮乏したが，**五街道**をはじめ交通路が発達し，「町」が発展した。また年貢の集まる大坂や江戸は活気を呈し，この結果商人が財力を貯え，紀伊国屋文左衛門，鴻池家などの豪商とよばれる大商人が現れ，巨万の富を築いた。人口の増加，田畑の不足，商品経済による物価の上昇，それに対する武士の俸禄は変わらず，封建体制の土台を揺るがしていった。

9. 徳川家光
10. 参勤交代
11. 禁中並公家諸法度
12. 慶安の御触書
13. 島原の乱
14. 由井正雪
15. 参勤交代

● Reference

■織田家の血

織田信長の妹お市は三国一の美しさと評判であった。政略結婚として浅井長政に嫁ぐが，2人は仲睦まじく1男3女をもうけた。しかし朝倉攻めの際，浅井が信長を裏切った結果，長政は自害，長男も殺された。その後長女の茶々（淀君）は豊臣秀吉との間に豊臣秀頼を産んだ。三女小督は，2代将軍徳川秀忠に嫁ぎ3代将軍になる家光を産んだ。織田家の血が豊臣・徳川に継承されていった。

5 幕藩体制の動揺

三大改革前後の幕政のまとめ

将軍	推進者	時期／名称	主な政策・出来事・事件
家宣 家継	新井白石	1709～1716年 (正徳の政治)	海舶互市新例
吉宗	徳川吉宗	1716～1745年 (享保の改革)	新田開発，株仲間の公認，定免法，足高の制，公事方御定書，上げ米の制，目安箱の設置，倹約令，洋書の輸入緩和，相対済し令
家治	田沼意次	1767～1786年 (田沼時代)	印旛沼・手賀沼の干拓，株仲間の大幅公認
家斉	松平定信	1787～1793年 (寛政の改革)	棄捐令，七分積金の法，人足寄場の設置，倹約令，寛政異学の禁，囲米の制，林子平・山東京伝の処罰，ラックスマン来航
家斉	徳川家斉	1793～1841年 (大御所政治)	大塩平八郎・生田万の乱，レザノフ来航，間宮林蔵樺太探険，フェートン号事件，異国船打払令，モリソン号事件，蛮社の獄
家慶	水野忠邦	1841～1843年 (天保の改革)	人返しの法，株仲間の解散，上知令，倹約令，薪水給与令，為永春水・柳亭種彦の処罰

● Reference

■ 「日本のポンペイ」鎌原村

1783年浅間山が大噴火した。その噴火の音は関西にも聞こえ，江戸の空は噴煙で真っ暗になったという。噴火の土石流は浅間山北側に雪崩のように下っていき，鎌原村(現在の群馬県嬬恋村)を飲み込んだ。村民570人のうち477人が犠牲になるという大被害が起きた。残った村人は「子を失った親には親を失った子を」「夫を亡くした妻には妻を亡くした夫を」という家族の再生をして村を復興していった。

参勤交代による大名の往来は商業の発達を促し，農地不足，天候の不順は農民の生活を圧迫し，困窮させた。人口が増加し，**商品経済**が発達する中で，年貢は変わらず，幕府の財政が破綻をきたしていくことになった。このような中で８代“米将軍”[1]は，幕政の建て直しをはかるため数々の改革を行った。**大岡忠相**(ただすけ)で知られるような優秀な人材を採用するための[2]，庶民の声を聞くための[3]の設置，一定の年貢の納入法として**定免法**，刑法基準としての[4]など，積極的に改革を行った。

1. 徳川吉宗
2. 足高の制
3. 目安箱
4. 公事方御定書

その後の[5]は**株仲間**の公認をしたり，特定商人と結び干拓事業を行い，商業資本を導入するなど斬新な政策を行うが，**天明の大飢饉**による一揆，打ちこわしが頻発し，個人的不評も伴い失脚した。

5. 田沼意次

寛政の改革の[6]は，大飢饉で荒廃した農村の復興に全力をあげ，囲米，旧里帰農令を制定した。しかし，将軍家斉との関係が悪化し，失脚した。

6. 松平定信

大御所政治で知られる家斉のときは賄賂汚職の横行などで退廃し，彼の浪費的な生活のため幕府の財政は悪化する一方だった。そのため元大坂町奉行与力で陽明学者の[7]は自分の蔵書を売却して畿内の窮民に米を与え豪商を襲撃した。この乱はすぐに鎮圧されたが影響は大きく，封建体制の危機を表した。またこの頃になると外国船が日本近海に来航し，幕府は北方の警戒のため**最上**(もがみ)**徳内**(とくない)**・近藤重蔵**に千島探査，[8]に樺太探査を命じた。やがて**モリソン号事件**をきっかけに**蛮社の獄**により，[9]，**渡辺崋山**らが弾圧された。

7. 大塩平八郎
8. 間宮林蔵
9. 高野長英

退廃的な風潮の中、12代将軍家慶のもとで老中に就任した[10]は，享保・寛政の改革を模範とした**天保の改革**を行い，自由競争が妨げられる原因として[11]させた。しかし，[12]の政策には大名・旗本の大反対が起こり失脚した。

10. 水野忠邦
11. 株仲間を解散
12. 上知令

このような情勢の中，薩摩藩と長州藩は**専売制**や中下層階級の能力ある武士の登用など藩政の改革に成功し，幕末に大きく力を貯えることになった。

6 幕末・維新

幕末・維新の主な流れのまとめ

年	長州藩	薩摩藩	外国	幕府
1853			ペリー来航 ──→	・
1854			日米和親条約 ←→	・
1858	批判 ──→	──→	日米修好通商条約 ←→	・
	・←──	────	────	安政の大獄
1860	桜田門外の変 ──→	──→	──→	・
1862		生麦事件（なまむぎ）──→	・	
1863	下関砲撃 ──→	──→	・	
		・←──	薩英戦争	
1864	・←──	────	────	池田屋事件
	・←──	禁門の変（蛤御門の変）		
	・←──	────	四国艦隊下関砲撃事件	
	・←──	────	────	第1次長州征討
1866	・──→ 薩長同盟	←──・		
	・←──	────	────	第2次長州征討
1867	討幕の密勅 ←──	天皇 ←──	────	大政奉還
		王政復古の大号令 ──→	──→	・
1868～'69	────	戊辰（ぼしん）戦争 ──→	──→	・

「太平の眠りをさます蒸気船たった四杯で夜も寝られず」で知られるように，鎖国時代の太平の世を打ち破ったのは[1]の黒船だった。**シーボルト**の著書を読み日本を研究した[2]は，砲術外交を展開し鎖国の扉をこじ開けた。翌年1854年幕府は**日米和親条約**を結び**下田・箱館**を開港し，総領事として[3]が着任した。1858年**井伊直弼**（いいなおすけ）と**ハリス**との間で**日米修好通商条約**が結ばれ，下田を閉鎖，**神奈川・長崎・新潟・兵庫**が開港された。しかしこの条約は**治外法権**（領事裁判権）を認め，[4]がなく，アメリカに片務的な最恵国待遇を与

1. ペリー
2. ペリー
3. ハリス
4. 関税自主権

えるという点で不平等なものだった。この条約を改正するため，後の明治政府は全力を傾けることになった。

この条約のため**攘夷**運動が起こり，**井伊直弼**は反対派に対し厳しい弾圧，いわゆる[5]を断行し，志士を処刑した。そうした中，水戸・薩摩の浪士が井伊を暗殺した。[6]である。

大老井伊直弼の暗殺は幕府に激しい動揺を与え，あわせて権威は失墜した。幕府は**公武合体**でこの難局を乗り越えようとしたが，かえって尊攘派の怒りを買うこととなった。

薩摩藩は1862年[7]をおこし，翌年薩英戦争が起きた。朝廷の攘夷の命に長州藩は下関を通過する外国船を砲撃した。しかし，翌年連合艦隊による攻撃を受け敗北。列強は彦島の割譲を求めたが，**高杉晋作**の交渉により「第二の香港」になることは防げた。また禁門の変，幕府の**長州征討**（第一次）など，国内においても長州藩は攻撃を受け敗退していった。このような痛手の中，藩内は保守的なムードが強くなったが，高杉が[8]などの諸隊を率いて挙兵し，藩権力を奪取しイギリスに接近していった。

薩摩藩も**西郷隆盛・大久保利通**らの倒幕派が主導権を握った。このような激動する情勢の中で幕府と対抗すべく，ともに列強の力を体感した薩摩藩と長州藩との間に，1866年[9]らの仲介で**薩長同盟**（連合）の密約が交わされた。同年の**長州征討**（第２次）は将軍徳川家茂の死とともに失敗に終わった。あわせて打ちこわし，一揆が激増し治安は乱れた。

徳川最後の将軍に就任した**徳川慶喜**は，フランスの援助を得て幕政改革をすすめた。

一方反幕勢力は薩長を中心に武力討幕の方針を固めた。これに対し土佐藩は公議政体論を主張し，政権を返還して機先を制することを慶喜にすすめ，慶喜もこれを受け入れて1867年10月，[10]を朝廷に上表したが，薩長諸藩に**討幕の密勅**が出された。12月，[11]で摂関・幕府の廃絶，幕府の領地返上が要求された。これが**戊辰戦争**へと発展していった。２年がかりの内戦は**白虎隊**悲話などを生み，箱館の[12]で終結した。

5. 安政の大獄
6. 桜田門外の変
7. 生麦事件
8. 奇兵隊
9. 坂本龍馬
10. 大政奉還
11. 王政復古の大号令
12. 五稜郭の戦い

7 明治国家

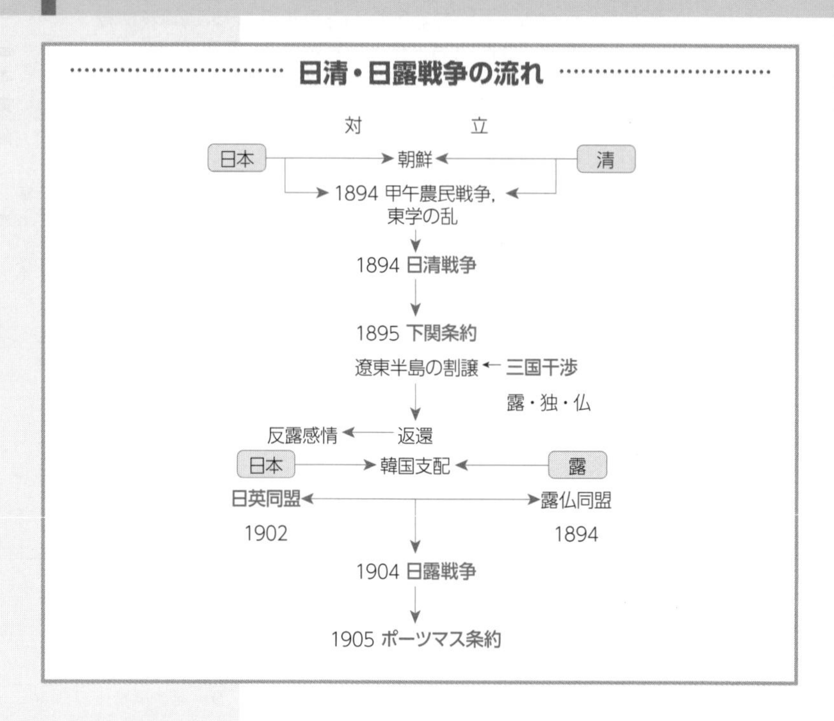

1868年「広ク会議ヲ興シ万機公論ニ決スベシ」で知られる[1]を発布し，政体書の公布，**東京**への遷都，「明治」と改元，**一世一元の制**を決めるなど，新政府は天皇中心の国家の樹立をめざした。そのため1869年[2]を実施，その2年後に[3]を断行した。1873年には[4]，**徴兵令**をしきその地盤を築いた。しかし**征韓論**をめぐり対立が表面化し，**西郷隆盛**が下野した。

明治政府は「**富国強兵**」「**殖産興業**」という2つのスローガンを掲げ，あわせて条約の改正を急いだ。国民皆兵をめざす**徴兵令**が公布され，群馬県に[5]などの官営模範工場を建設したり，軍事工場や造船所の建設に力を入れた。

身分制度が改められると，武士の特権は廃止され，様

1. 五箇条の誓文
2. 版籍奉還
3. 廃藩置県
4. 地租改正
5. 富岡製糸場

変わりする時代にとり残されるかのように武士の不満は高まり反乱が相次いだ。しかし，1877年の[6]でその終結を見るに至った。結局武力での反乱は不可能と悟り，**言論**での抵抗へと姿勢を変えていったのである。

1874年[7]を提出した**板垣退助**らは，[8]後活発に活動し，**明治十四年**の政変，**国会開設の勅諭**後**政党**の結成へと至った。

政府は**自由民権運動**が高まる中，国会開設の勅諭を出し，[9]を渡欧させた。伊藤は帰国後初代**内閣総理大臣**に就任した。

1889年，[10]が制定された。天皇中心の政治をすすめる欽定憲法で，**ドイツ**（プロイセン）の憲法に範をとり，伊藤博文らの起草によった。この憲法に則って翌年衆議院議員の総選挙が行われ，第1回**帝国議会**が開かれた。しかし薩摩，長州出身の者が政権を担当したので藩閥内閣，藩閥政治などとよばれた。

ノルマントン号事件をきっかけに条約改正への国民的関心が盛り上がる中，[11]外相のとき1894年イギリスと**日英通商航海条約**が結ばれ**治外法権**が撤廃された（第一次条約改正）。

日本の対外侵出の目は朝鮮に向けられ，甲午農民戦争，東学の乱をきっかけに1894年**日清戦争**が勃発し，翌年[12]が結ばれ賠償金の支払いならびに台湾，遼東半島などが日本に割譲された。しかし，南下政策をはかる**ロシア**は**フランス**，**ドイツ**とともに遼東半島を清に返還するよう圧力をかけた（[13]）ので，日本はやむなく応じた。これにより国内では反露感情が高まった。

日本は，1902年[14]を結び，日露戦争へと発展しこれに勝利したが，[15]により賠償金を取れなかったことから**日比谷焼打ち事件**へと発展。このような中で韓国に対する侵出は進み，1910年**韓国**を**併合**した。また，1911年[16]外相によって**関税自主権**を回復した（第二次条約改正）。

6. 西南戦争
7. 民撰議院設立の建白書
8. 西南戦争
9. 伊藤博文
10. 大日本帝国憲法
11. 陸奥宗光（むつむねみつ）
12. 下関条約
13. 三国干渉
14. 日英同盟
15. ポーツマス条約
16. 小村寿太郎（こむらじゅたろう）

8 帝国主義国の戦い

重要度 A

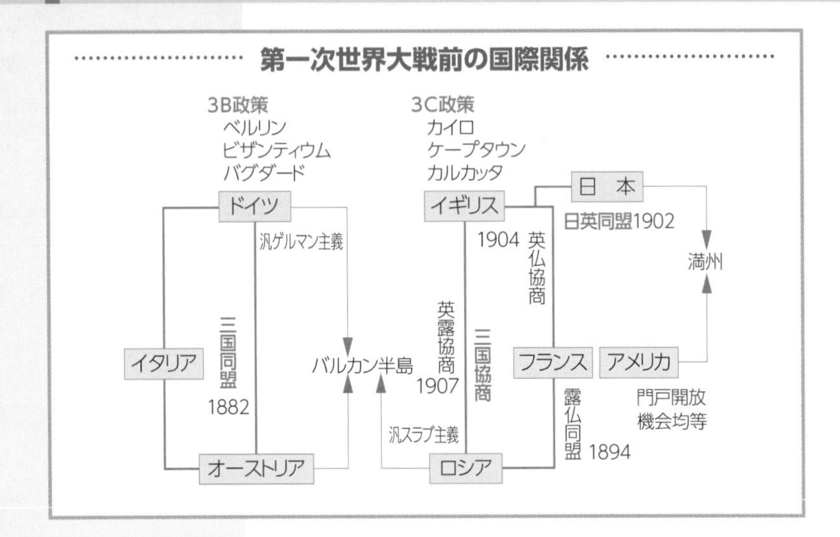

1. 帝国主義
2. ケープタウン
3. 3C政策

資本主義が発達してくると列強は争って原料の供給地，製品の市場を求め，武力を強化し，**植民地**を獲得した。このような国を［ 1 ］国という。代表的なのはイギリスで，世界各地に植民地を持ち，特に**カイロ**・［ 2 ］・**カルカッタ**（現・コルカタ）を結ぶ［ 3 ］は，その力を示すものであった。

4. 日英同盟
5. 帝国主義
6. 日露戦争
7. セオドア=ローズヴェルト
8. ポーツマス
9. 樺太（サハリン）
10. 日比谷

日本は日清戦争後，急速に産業が発達し，第二次産業革命を迎え，重工業が発達した。そして，1902年［ 4 ］が結ばれ，［ 5 ］国の仲間入りをすることになった。1904年［ 6 ］がおき，**バルチック艦隊**を破った日本は，アメリカ大統領［ 7 ］の講和の斡旋により，［ 8 ］で講和会議に臨んだ。この結果旅順・大連の租借権，［ 9 ］の南半分，韓国に対する日本の指導・監督権，沿海州・カムチャツカの漁業権，東清（とうしん）鉄道の一部を日本に譲らせたが，賠償金を取れなかったためこの条約に不満を抱いた国民は［ 10 ］焼打ち事件を起こした。

この戦争により日本の国際的地位は向上し，1910年に[11]を併合した。

ヨーロッパでは新興著しいドイツがあらゆる形でイギリスと対立し，[12]に対抗して**ベルリン**，**ビザンティウム**（現・イスタンブール）・[13]を結ぶ[14]をとり，植民地獲得に乗り出していった。また**オーストリア・イタリア**と[15]を結成し，ヨーロッパで優位に立とうとした。

これに対し，**フランス**はドイツのフランス孤立化政策に苦しみ，**ロシア・イギリス**と[16]を結成しドイツの勢力拡大に牽制をかけた。

このような緊張した国際情勢の中，バルカン半島の民族の対立から[17]事件が起こり，**第一次世界大戦**が勃発した。一進一退の攻防を展開する中，起死回生を図ったドイツの無差別攻撃が**アメリカ**の参戦を招くこととなった。

日本は，世界の関心がヨーロッパに注がれている間に，[18]によって誕生して間もない中華民国に1915年[19]をつきつけ，その大部分を承認させた。

一方ロシアでは，長期化する戦争のため[20]年**ロシア革命**が起きた。皇帝は退位し臨時政府が樹立した。しかし，この政府も戦争を続けたので[21]が率いる**ボリシェヴィキ**が臨時政府を転覆させた。これを[22]革命という。これにより世界で最初の[23]国が誕生した。

アメリカの参戦により戦局は大きく転回，[24]年ドイツが降伏し，ここに第一次世界大戦の終結をみるに至った。そして，戦後の処理のため各国の代表がパリに集まり，[25]条約が結ばれた。この会議でアメリカ大統領の[26]が提唱した「十四カ条の平和原則」をもとに1920年[27]が成立した。

11. 韓国
12. 3C政策
13. バグダード
14. 3B政策
15. 三国同盟
16. 三国協商
17. サライェヴォ
18. 辛亥革命
19. 二十一カ条の要求
20. 1917
21. レーニン
22. 11月
23. 社会主義
24. 1918
25. ヴェルサイユ
26. ウィルソン
27. 国際連盟

●Reference

■クリスマスまでには帰れる

1914年6月28日，オーストリア＝ ハンガリー帝国皇太子夫妻が，セルビアの青年に暗殺されたサライェヴォ事件が起こった。これを機に第一次世界大戦が勃発したが，開戦当初は年末までには戦争が終わるだろうと誰もが思っていた。しかし，戦いは機関銃と塹壕により持久戦となり，革命によるロシアの撤退や，ルシタニア号事件を機にアメリカの参戦のため長期化し被害は拡大した。

9 戦争への道Ⅰ

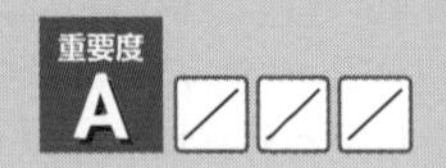

第一次世界大戦から第二次世界大戦までの日本の政治の流れ

【年】	【国　内】	【対外関係】
1918	米騒動により原敬内閣成立	ドイツ降伏，戦争終わる
	シベリア出兵	ウィルソン「十四カ条の平和原則」
1919		ヴェルサイユ条約
1921		ワシントン会議
1923	関東大震災	
1925	普通選挙法制定	日ソ基本条約
	治安維持法制定	
1927	金融恐慌	山東出兵
1929		世界恐慌起こる
1930	金解禁のため昭和恐慌起こる	ロンドン会議
1931		柳条湖事件→満州事変
1932	五・一五事件	満州国建国
1933		国際連盟脱退
1936	二・二六事件	日独防共協定
1937		盧溝橋事件→日中戦争
1938	国家総動員法制定	
1939		第二次世界大戦起こる
1940	大政翼賛会，産業報国会	日独伊三国同盟
1941		日ソ中立条約
		ハワイ真珠湾奇襲→太平洋戦争

日本は，日清戦争では**台湾**・**澎湖諸島**(ほうこ)を，日露戦争では**南樺太**，韓国併合で**韓国**を，と領土を拡大した。また，第一次世界大戦では［ 1 ］を理由に参戦し，ドイツの領有する山東半島などを攻撃した。さらに戦争の動乱をついて中国に［ 2 ］を出し，大部分を認めさせた。このような露骨な大陸侵出に対し，1919年朝鮮で**三・一独立運動**，中国で［ 3 ］などの排日運動が起きた。

大正になると**大正デモクラシー**がおこり，**普通選挙**を求める声が強くなった。その中心になったのが**尾崎行雄**であり，理論的には［ 4 ］の**民本主義**があった。そのた

1. 日英同盟
2. 二十一カ条の要求
3. 五・四運動
4. 吉野作造

め政府は1925年**普通選挙法**を制定するとともに社会主義者の取り締まりのため[5]を制定した。「飴とムチ」の政策である。

5. 治安維持法

第一次世界大戦の結果，拡大する軍備に対しその反省から国際協調への動きが見られ，世界は軍縮の傾向を示していった。1921年から22年にかけて[6]が開かれ，**四カ国条約**において[7]が廃棄され，**九カ国条約**では中国をめぐり対米関係が悪化した。

6. ワシントン会議
7. 日英同盟

ヨーロッパ諸国は，第一次世界大戦で生産力が衰えたが，戦後産業の復興に努めた。やがて諸国間で製品の販売競争が激しくなると，経済が行きづまった。世界経済の中心となっていたアメリカも，ヨーロッパへの輸出不振から不景気を迎えた。1929年10月，ニューヨークの株式市場で**株価**が**大暴落**したのをきっかけに，アメリカ経済は大混乱に陥った。この混乱は2，3年のうちに世界各国に影響し，資本主義諸国の工業生産は著しく減少した。この[8]の対策として，植民地や資源の豊富な「持てる国」のイギリスやフランスは，[9]という**自国**と**植民地**との間の貿易で乗り切ろうとした。アメリカの**フランクリン=ローズヴェルト**大統領は，**ケインズ**の経済学を参考に[10]を実施し，失業者の救済に努めた。一方「持たざる国」の日本・ドイツ・イタリアは海外侵出，領土拡大策をとった。イタリアでは[11]が**ファシスト党**を結成し独裁政治を行い，ドイツでは[12]が**ナチス**（国民（家）社会主義ドイツ労働者党）を結成し，ヴェルサイユ条約を無視して再軍備し，やがて両国は歩み寄っていった。

8. 世界恐慌
9. ブロック経済政策
10. ニューディール政策
11. ムッソリーニ
12. ヒトラー

日本経済は，大正期に第一次世界大戦後の恐慌や1923年の[13]など，昭和になると金融恐慌や**金解禁**によって大打撃を受け，そうした国内の不満を大陸にそらそうとしていた。

13. 関東大震災

● Reference

■銃殺された皇帝

第一次世界大戦の終わり頃，1918年7月17日ウラル地方でロシア皇帝ニコライ2世とその家族が銃殺された。ニコライ2世は大津事件，日露戦争と日本との関わりのある皇帝であった。ソ連崩壊後1994年発見された遺体が本人たちのものであることが確認され，2000年8月ニコライ2世はロシア正教会において家族や他のロシア革命時の犠牲者とともに列聖に叙せられた。

10 戦争への道Ⅱ

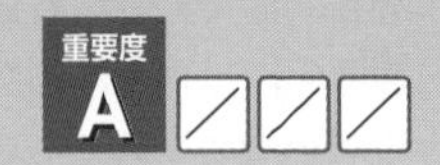

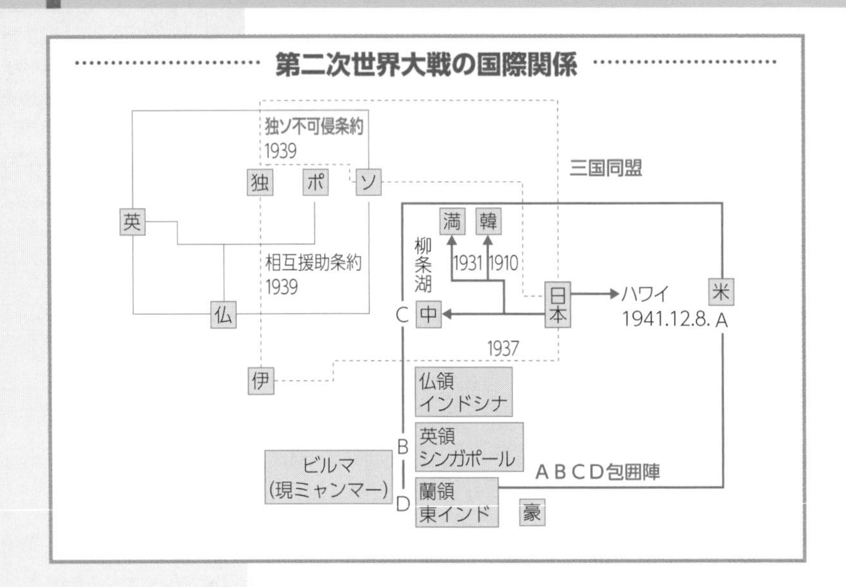

1. 蔣介石
2. 柳条湖
3. 満州事変
4. リットン
5. 五・一五事件
6. 二・二六事件

世界的な不景気が続く中で，中国では**国民党**を率いる[1]が，民族運動を背景に，国内統一を進めていた。1931年満州の奉天郊外の[2]で鉄道が爆破された。これに対し，満州駐屯の日本軍は，中国の仕業だとして，日本の権益を守るという理由で満州全土を占領した。翌年日本はこの地域に**満州国**を建国，清の最後の皇帝**溥儀**(ふぎ)を執政に迎えた。[3]である。しかし，この日本の軍事行動に対し，中国は国際連盟に訴えた。これを受けて[4]を団長とする調査団が中国に派遣され，その報告書にもとづき日本の撤兵勧告が採択された。その結果，日本は1933年に**国際連盟**を脱退した。

日本国内においては，政党政治に対する不満から，軍部中心の内閣をつくる動きが活発となり，1932年[5]が起こり，海軍の一部青年将校らによって首相の**犬養毅**(いぬかいつよし)が暗殺された。また，1936年には陸軍の一部青年将校が大臣を殺傷する[6]が起こり，軍部の政治への発言力が強まった。

日本の満州侵出に対抗するため，中国では中国共産党を率いる[7]が「内戦をやめて日本に抗戦しよう」とよびかけた。1937年北京郊外の[8]で日中両軍が衝突したのがきっかけで，日本軍の中国侵略が進み，宣戦布告のない戦争が始まった。

1936年イタリアは[9]を併合し，1938年ドイツはオーストリアを併合した。このドイツの侵略行動に対し，イギリス・フランス・イタリア・ドイツの首脳は[10]で会談を行い，ドイツの行為を容認することとなった。その後ドイツはソ連と**不可侵条約**を結び，ソ連と戦う心配がなくなったため，ポーランドへ侵攻した。これをみたイギリスやフランスはドイツに宣戦布告し，**第二次世界大戦**が始まった。

一方日本は，1940年[11]を結び，ドイツ・イタリアとの結びつきを強め，翌年にはソ連と[12]を結び，対米戦争を想定して軍備の増強に努めた。アメリカはイギリス・中国・オランダとともに**ABCD包囲陣**により日本を牽制した。12月8日，日本軍はハワイの[13]を奇襲し太平洋戦争へと突入した。

このような中で平和への努力は続けられ，1941年の[14]，1945年2月の**ヤルタ会談**など連合国によって戦後処理の問題が話し合われた。

1943年，同盟国のイタリアが降伏し，1945年5月ドイツが降伏した。

1945年8月，世界最初の**原子爆弾**が[15]に落とされ3日後に[16]にも落とされた。これにより日本の敗戦は決定的となったが，その間ソ連がヤルタ協定に基づき日本へ参戦した。14日，日本は[17]を受諾し，ここに太平洋戦争は終結した。

7. 毛沢東
8. 盧溝橋
9. エチオピア
10. ミュンヘン
11. 日独伊三国同盟
12. 日ソ中立条約
13. 真珠湾
14. 大西洋憲章
15. 広島
16. 長崎
17. ポツダム宣言

●Reference

■杉原千畝(ちうね)（1900～1986年）

1940（昭和15）年リトアニア領事代理のとき，ヒトラーとの関係に配慮しビザの発給を認めない外務省の命令に反し，6000名をこえるユダヤ人難民に日本通過のビザを発給した。1947年ルーマニアの捕虜収容所から帰還後，外務省を免職となる。戦後ユダヤ人の国家イスラエルが建国。1960年イスラエル政府から「諸国民の中の正義の人賞(ヤド・バシェム賞)」を受賞。「日本のシンドラー」といわれる。

11 戦後の日本社会

戦後政治の流れ

【年】	【国　　内】	【教育関係】
1945	ポツダム宣言受諾 GHQ占領政策始まる 戦争犯罪人逮捕，治安維持法廃止 財閥解体，農地改革指令 選挙法改正	修身・地理・日本歴史の授業停止
1946	天皇人間宣言，極東軍事裁判始まる 日本国憲法公布	
1947	労働基準法，独占禁止法 地方自治法，第１回国会	教育基本法，学校教育法 義務教育の六三制 学習指導要領Ⅰ
1948	極東軍事裁判終わる	教育委員会法
1950	朝鮮戦争→警察予備隊 レッドパージ	
1951	サンフランシスコ平和条約 日米安全保障条約	学習指導要領Ⅱ
1954	防衛庁・自衛隊を設置	
1956	日ソ共同宣言→国際連合加盟	地方教育行政の組織及び運営に関する法律
1958		学習指導要領Ⅲ，道徳追加
1960	日米新安全保障条約	
1965	日韓基本条約	
1968	ＧＮＰ世界第３位	学習指導要領Ⅳ
1972	沖縄返還，日中共同声明	
1973	第一次石油危機	
1978	日中平和友好条約	学習指導要領Ⅴ（'77）
1979	第二次石油危機	
1989	昭和天皇崩御	学習指導要領Ⅵ
1992	ＰＫＯ協力法成立	
1999	周辺事態安全確保法	学習指導要領Ⅶ
2001	中央省庁再編	
2006		教育基本法改正
2009	民主党政権成立	学習指導要領Ⅷ（'08）
2011	東日本大震災	
2017		学習指導要領Ⅸ

[1]の受諾によって永年続いた戦争は終わり，世界は，不安の中にも戦争の終結に安堵した。そして，日本は初めて外国によって占領されることとなった。

日本を占領した[2]（GHQ）の最高司令官[3]は，日本の民主化をめざし，数々の改革を行った。小作料に苦しむ農民に政府が地主から土地を買い上げ安く売り渡した[4]，三井・三菱・住友・安田などの資産を凍結した[5]や，満20歳以上の男女**普通選挙**の実現など，その政策を進めた。そして1946年11月3日[6]が公布され，1947年5月3日施行された。

荒廃した国土の中で，産業は崩壊し米の収獲も落ち込んだ。飢えと失業，物価の高騰に海外からの引揚げ者も加わり，激しいインフレに襲われた。このような中で立ち直るきっかけをつかんだのが1950年に勃発した[7]であった。「**特需**」といわれた好景気によって経済の復興が早まった。あわせてGHQの指令により[8]が結成され，これが4年後には自衛隊となった。

日本の独立は1951年[9]平和会議で承認され，同時に[10]が結ばれた。1956年**日ソ共同宣言**が発表され，[11]の加盟を承認された。

朝鮮が南北に分離独立して生まれた韓国と，日本は1965年[12]を結んだ。

1960年代は**高度経済成長期**とよばれ日本は経済的に復興し，国民総生産（GNP）で世界第3位に躍進したが，その影に**公害**という大きな問題を引きおこしていた。

1972年に**沖縄**がアメリカから返還され，**日中共同声明**が発表され，中華人民共和国と国交が開かれた。そして1978年には[13]が締結された。

1989年昭和天皇が崩御し，激動の「昭和」は幕を閉じ，「平成」の時代になった。

災害面においては，2011年3月，東日本大地震とその後の津波により甚大な被害が生じた。

2018年，**環太平洋パートナーシップ**に関する包括的及び先進的な協定（TPP11協定）が発行。

2019年，[14]の無償化。

2021年，小学校（義務教育学校の前期課程を含む）

1. ポツダム宣言
2. 連合国軍最高司令官総司令部
3. マッカーサー
4. 農地改革
5. 財閥解体
6. 日本国憲法
7. 朝鮮戦争
8. 警察予備隊
9. サンフランシスコ
10. 日米安全保障条約
11. 国際連合
12. 日韓基本条約
13. 日中平和友好条約
14. 幼児教育・保育

15. 35

の学級編制の標準を[15]人に引き下げ（2021年4月1日施行，順次実施）。第32回オリンピック競技大会(2020／東京)，第16回パラリンピック競技大会(2020／東京)←2020年パンデミックにより2021年に延期開催された。

2022年，成年年齢が20歳から18歳に引き下げ（この年の出生数は80万人を下回り7年連続で過去最少を更新）。安倍元首相が演説中に銃で撃たれ死亡。文部科学省「生徒指導提要」全面改訂。小学校高学年の**教科担任制**導入開始。**生成AI**（人工知能）への注目が急速に高まる。

16. こども家庭庁
17. こども基本

2023年，WBC（ワールド・ベースボール・クラシック）で日本が3回目の優勝。[16]設置，[17]法施行。新型コロナウイルス感染症の感染症法上の位置づけが「2類相当」から「**5**類」に引き下げ（学校保健安全法施行規則第18条においては，学校において予防すべき感染症の第二種)。G7**広島**サミット開催。**OECD**が発表した[18]（国際的な学習到達度調査）2022の結果で，日本は数学的リテラシー・読解力・科学的リテラシーの3分野全てにおいて世界トップレベルに。

18. PISA

2024年，**能登半島**地震。JAXA探査機が日本初の**月面着陸**成功。大谷翔平が日本選手単独最多となる大リーグ通算176本目ホームラン。2024年度から小・中学校等を対象に[19]の本格的導入開始（小学校5年生～中学校3年生，英語から)。

19. デジタル教科書

3
世界史

1 ギリシア・ローマ

重要度 B ／ ／ ／

ローマ帝国とキリスト教

B.C. 8 C	都市国家ローマ成立，共和制
3 C	ローマ，イタリア半島統一
3～2 C	ポエニ戦争，カルタゴに勝ち，地中海の制海権獲得
73年	スパルタクスの反乱
	カエサル（シーザー）の独裁政治と暗殺
27年	オクタウィアヌス，アウグストゥスの称号をもらう（ローマ帝国）
4年頃	イエス＝キリスト生まれる
A.D.30年頃	イエスが十字架にかけられる
200年頃	「新約聖書」まとまる
392年	キリスト教を国教にする
395年	ローマ帝国が東西に分裂する

西ローマ帝国
476年ゲルマン人の大移動により滅亡
16 C　宗教改革
ルター，カルヴァン

東ローマ帝国
1453年オスマン帝国により滅亡

カトリック（旧教）	プロテスタント（新教）	ギリシア正教会
主にラテン系	主にゲルマン系	主にスラブ系

1．ギリシア

B.C. 8世紀頃，バルカン半島を南下したギリシア人は各地に［ 1 ］（都市国家）をつくった。B.C. 5世紀には，いくどか巨大な［ 2 ］帝国が攻めてきたが，これを団結力をもって撃退した。［ 3 ］戦争という。

代表的な［ 4 ］であるアテネでは，18歳以上の男子がアゴラとよばれる広場に集まり，［ 5 ］を開き政治を行った。この政治は［ 6 ］（民主政）といわれた。

人間の美を追求し，すぐれた文化が生み出された。ま

1. ポリス
2. ペルシア
3. ペルシア
4. ポリス
5. 民会
6. デモクラティア

た［ 7 ］，**プラトン**，**アリストテレス**などのすぐれた哲学者を生み，ギリシア哲学とよばれた。

B.C. 4世紀頃になると，北方の**マケドニア**に支配された。その国王［ 8 ］は東方へ遠征して［ 9 ］帝国を滅ぼし，インダス川流域におよぶ大帝国をつくった。彼は各地で都市をつくっていったが，国王の死後衰えていった。しかし，この大帝国によって，ギリシアの文化と**東方**の文化とが融合して［ 10 ］文化をつくった。

7. ソクラテス
8. アレクサンドロス大王
9. ペルシア
10. ヘレニズム

3 世界史

2．ローマ

イタリア半島に興ったローマは，B.C. 3世紀には半島を統一し，領土を拡大した。B.C. 1世紀，**カエサル**（シーザー）が現れる頃には，西ヨーロッパにまでおよぶ国をつくった。**カエサル**が暗殺されたのち，養子の［ 11 ］がそのあとを継ぎ，B.C.［ 12 ］年，**アウグストゥス**（尊厳者）の称号を受けて皇帝となった。

紀元前後頃ローマ帝国の支配下のパレスチナから［ 13 ］が現れ，「神を信じる者はみな救われる」と人々に説いた。**キリスト教**である。イエスの死後弟子の**ペテロ**や**パウロ**はその教えを説き，厳しい迫害にも負けなかった。やがて392年**国教**となった。

ローマ帝国は，国内では政治の乱れ，国外ではゲルマン人が帝国に侵入し，**コンスタンティヌス帝**のとき，都をビザンティウム（コンスタンティノープル）に遷し，395年［ 14 ］帝のとき東西に分裂した。**西ローマ帝国**は476年ゲルマン人の［ 15 ］によって滅ぼされ，**東ローマ帝国**（ビザンツ帝国）はその後1000年余り続き，1453年［ 16 ］により滅ぼされた。

西ローマ帝国の滅亡により**中世**の時代に入った。

11. オクタウィアヌス
12. 27
13. イエス＝キリスト
14. テオドシウス
15. オドアケル
16. オスマン帝国

● Reference

■ シーザーとオクタウィアヌス

ジュリアス＝シーザー（カエサル）がエジプト遠征を行い，クレオパトラに一目惚れしローマへ連れて帰ったが，帰国後ブルータスたちによって暗殺された（紀元前44年）。彼の後継を巡り養子オクタウィアヌスがアントニウスを破り（紀元前31年），紀元前27年に皇帝（アウグストゥス）に即位した。シーザーが持ち帰った太陽暦を改良し2人の名前が後世に残ることになった。7月July…ジュリアス＝シーザー，8月August…オクタウィアヌス。

2 インド史

インド史

B.C.2600年	**インダス文明**
	モエンジョ＝ダーロ，ハラッパー
1500年	アーリヤ人侵入（〜B.C.1000年）
	カースト制度
5C	ガウタマ＝シッダールタ，**仏教**を起こす
3C	アショーカ王，仏教を保護
	南伝仏教〜セイロン，東南アジアに広がる
A.D.2C	カニシカ王，仏教保護
	北伝仏教〜中国，朝鮮，日本に広がる
	ガンダーラ美術
	アレクサンドロス大王の遠征
10C	イスラームの侵入
1526年	**ムガル帝国**
	バーブルにより建国
1600年	イギリス，東インド会社設立
1857年	シパーヒーの大反乱→ムガル帝国滅亡
1877年	**インド帝国**
	イギリスの植民地
1947年	インド，イギリスより独立

インド
- インド
- パキスタン
  - 分離
  - '71年 **パキスタン**
  - **バングラデシュ**

セイロン
- '72年 **スリランカ**独立

1. ハラッパー
2. アーリヤ
3. カースト

インダス川流域には，B.C.2300年頃から**モエンジョ＝ダーロ**や［ 1 ］などの都市を中心に文明が開けた。

B.C.1500年頃からB.C.1000年頃にかけ［ 2 ］人が侵入し，先住民を従え，**バラモン**を頂点とする厳しい［ 3 ］制度が生まれ，これは後に**ヒンドゥー教**とよばれるようになった。

B.C.6世紀頃に[4]が出現し「仏の前に人はみな平等である」と説いてその教えを広めた。これが**仏教**で，B.C.3世紀には**アショーカ王**が，2世紀には**カニシカ王**が現れ，各地に広まった。また**アレクサンドロス大王**の遠征により[5]美術が栄えた。

10世紀頃からイスラーム化したトルコ系民族の侵入が始まり，13世紀になると最初のイスラーム王朝が誕生し，インドにおけるイスラーム化が徐々に進行することとなった。そして，1526年に**バーブル**は[6]を建国した。

十字軍の遠征後，**オスマン帝国**の力が強大になると，ヨーロッパにおいて東方貿易は衰え，香辛料を求めて独自に貿易を行う必要性から「**大航海時代**」を迎えた。その中で1498年**ヴァスコ＝ダ＝ガマ**は，喜望峰まわりで[7]に到着し，直接貿易を行うようになり，その後制海権を握ったイギリスが，1600年**東インド会社**を設立し，特に産業革命後，原料の供給地としてイギリスによるインド支配が始まった。1857年には[8]がおこり，これを契機として1858年[9]は滅亡し，1877年イギリス国王がインド皇帝を兼ねる[10]が設立され**イギリスの植民地**となった。

帝国主義政策に苦しむ中，第一次世界大戦後「民族独立の父」[11]や**ネルー**を中心に独立運動が繰り広げられ，特に[12]は「**非暴力・不服従**」運動で民衆から圧倒的な支持を受け，幾度の弾圧を受けながらも屈せず，第二次世界大戦後1947年，**インド連邦**と**パキスタン**に分かれて独立を達成した。言語・種族などの違いから，1971年に東パキスタンは**バングラデシュ**として分離独立した。そして翌年イギリスの自治領だったセイロン（**スリランカ**）も独立した。

4. ガウタマ＝シッダールタ（ブッダ，シャカ）
5. ガンダーラ
6. ムガル帝国
7. カリカット
8. シパーヒーの大反乱
9. ムガル帝国
10. インド帝国
11. ガンディー
12. ガンディー

● Reference

■ガンディー（1869～1948）の名言

インドの独立運動を指揮し民衆暴動ではなく「非暴力・不服従」によってインドの独立に成功した。この思想は，植民地解放運動や人権運動における平和主義的手法として，世界に大きな影響を与えることとなった。

「握り拳と握手はできない」，「あなたの夢は何か，あなたが目的とするものは何か，それさえしっかり持っているならば，必ずや道は開かれるだろう」，「多くの犠牲と苦労を経験しなければ，成功とは何かを決して知ることはできない」，「強さは肉体的な力から来るのではない。それは不屈の意志から生まれる」

3 中国略史と対日関係

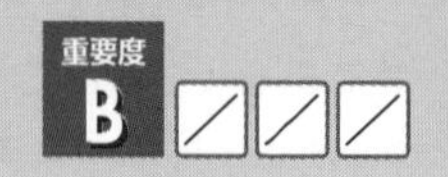

中国の各時代と日本との関係

【年】	【時　　代】	【対日関係】
B.C.16C	殷	
11C	周	
770年	春秋・戦国時代（～B.C.221）	
221年	秦，中国統一	
	始皇帝	
202年	漢，中国統一	『漢書』地理志
	前漢（～A.D. 8）	『後漢書』東夷伝
	後漢（A.D.25～220）	奴国金印印綬
A.D.220年	三国時代	『魏志』倭人伝
		邪馬台国女王卑弥呼
280年	晋，中国統一（～316）	
439年	南北朝時代	『宋書』倭国伝
		倭の五王
589年	隋，中国統一	『隋書』倭国伝
	煬帝	遣隋使
618年	唐，中国統一	遣唐使（630～894）
		律令制の導入
907年	五代十国	
960年	宋，中国統一	日宋貿易
	南宋（1127～1279）	
1279年	元，中国統一	元寇
		文永の役，弘安の役
1368年	明，中国統一	日明貿易
1644年	清，中国統一	
		日清戦争（1894～1895）
1912年	中華民国成立	二十一カ条の要求（1915）
		日中戦争（1937～1945）
1949年	中華人民共和国成立	日中平和友好条約（1978）

1. 孔子

黄河文明の後，B.C.1500年頃**殷**が都市国家を築いた。その後周王朝を経て，**春秋・戦国時代**を迎えた。この時代［ 1 ］が登場し**儒教**を広めた。

中国を最初に統一したのが**秦**であるが，**始皇帝**は**万里**

の長城を築くなど独裁政治を行い，死後**漢**に滅ぼされた。漢は[2]を通じて**ローマ帝国**と交易を行った。漢の時代には『**後漢書**』**東夷伝**など日本に関する記述がある。漢滅亡後三国時代は『[3]』倭人伝に，**邪馬台国**で知られる女王卑弥呼に関する記述がある。南北朝時代には**倭の五王**が使いを送った。

南北朝時代を統一したのは**隋**の[4]で，その子の煬(よう)帝(だい)は南北の大河を結ぶ運河を作ったりしたが，**高句麗**遠征の失敗から反乱が起き滅びた。日本の[5]は**遣隋使**を送った。

唐の時代は政治制度も整い華やかな文化が栄えた。日本も**遣唐使**を送り律令制の導入に力を注いだ。

やがて**五代十国**を経て，**宋**が中国を統一した。[6]は**日宋貿易**を行った。

モンゴル人の**チンギス＝ハン**が歴史上かつてない大帝国をつくり，その孫の[7]は**元**を建国し，南宋を滅ぼした。（イタリアの商人[8]が元に滞在し，帰国後『**東方見聞録**』を記し，日本を初めてヨーロッパに紹介した。）また，元は日本に対し服属を求め，拒否されると**元寇**が起きた。

明とは日明貿易をし，**清**の時代も，鎖国政策をとる日本と貿易を行った。清は「眠れる獅子」と恐れられたが，[9]でイギリスに敗れ**香港**を割譲し，**日清戦争**において敗北し，その弱体ぶりを露呈すると列強の植民地と化していった。清は**三民主義**を提唱する**孫文**の[10]によって滅び，**中華民国**が成立するが，**二十一カ条の要求**など日本の侵出が著しくなった。そんな中で**蔣介石**の国民政府と[11]の共産党は団結することとなった。そして**満州事変**から**日中戦争**へと戦局は拡大し，日本の敗戦を迎えた。戦後国民政府と共産党の内戦を通じ，**国民政府**は**台湾**に逃れ，1949年**中華人民共和国**が誕生した。自由主義諸国は，当初台湾を正統政府と認めていたが，その後中国政府を承認した。'71年には国連の代表権を得て国際社会に復帰，'97年には**香港**，'99年には**マカオ**が中国に返還され，一国二経済国家になった。

2022年に北京オリンピック開催，GDPで世界２位になる一方，軍事的脅威・人権侵害が深刻化している。

2. シルクロード（絹の道）
3. 魏志
4. 文帝（楊堅）
5. 厩戸王（聖徳太子）
6. 平清盛
7. フビライ＝ハン
8. マルコ＝ポーロ
9. アヘン戦争
10. 辛亥革命
11. 毛沢東

※現在日本の尖閣諸島海域への侵入，台湾の安全保障についてなど外交的課題が多い。

4 イスラームとヨーロッパ世界

十字軍の影響

キリスト教中心の時代→聖地イェルサレム奪回→十字軍遠征（失敗）→
イスラーム帝国の領土拡大

〔影響〕

①法王の権威の失墜→宗教改革
②東西文化の交流→ルネサンス
③東方への関心→大航海時代
④都市の発達→自由都市の形成（フィレンツェ，ジェノヴァ，ヴェネツィア）
⑤諸侯・騎士の没落，国王の支配→絶対王制
……→市民革命

1. イスラーム

7世紀初めアラビア半島のメッカに［ 1 ］が現れ，唯一神「アッラーを信じる者はみな神の前に平等である」と説き，［ 2 ］を広めた。後継者（**カリフ**）は「右手に剣，左手にコーラン」（征服と布教）を標榜して領土を広め，約100年間で西アジア・中央アジア・北アフリカ・イベリア半島におよぶイスラーム帝国を築いた。また，ギリシア文化や各地の優れた文化を取り入れ，**イスラーム文化**を生んだ。

2. 中世ヨーロッパ

ゲルマン人の大移動はローマ帝国を東西に分裂して，476年**西ローマ帝国**を滅亡させた。やがてゲルマン人は**フランク王国**をつくり，［ 3 ］のとき全盛期を迎えたが，その後**イタリア**，東フランク（**ドイツ**），西フランク（**フランス**）に分裂した。

9世紀頃から主君は家臣に領土を与えて保護し，かわりに主君のために戦う封建社会となり，国王・諸侯・騎士という身分関係が生まれた。また，荘園で働く農民は［ 4 ］とよばれた。

国王や諸侯は領地の一部を**教会**に寄付し，**教会**との結

1. ムハンマド
2. イスラーム教
3. カール大帝
4. 農奴

びつきを強めた。ローマ教会の**ローマ教皇**を頂点としたキリスト教中心の世界となった。

11世紀になると，[5]が聖地**イェルサレム**に巡礼するキリスト教徒を迫害したことから，諸候や騎士を中心とし，**十字軍**の遠征を行った。7回におよぶ遠征も失敗に終わった。

しかし，**十字軍**の影響は大きく，①教会は経済的に窮乏し，やがて16世紀には**贖宥状**（免罪符）を売り，**宗教革命**を迎える　②新しい文化が伝わり，**ルネサンス**へと影響を与える　③東方への関心が高まり，やがて**大航海時代**を迎える　④交通路が発達し都市が栄え，**ジェノヴァ**，**フィレンツェ**などの自由都市が生まれる　⑤諸候・騎士が没落し，国王が直接領土を支配し，やがてフランスの**ルイ14世**のような**絶対王政**の時代を迎えるなどはかり知れない影響を与えた。

5. セルジューク朝（トルコ）

3. ルネサンス

14世紀頃から16世紀にかけて，ギリシア・ローマ文化のような人間性中心の**文化運動**が起こった。**ルネサンス**である。はじめは十字軍の影響からイタリアに起き，そして西欧へと伝わった。ダンテの『神曲』，[6]の『**モナ＝リザ**』や『**最後の晩餐**』，[7]の『**ダヴィデ像**』，ボッティチェッリの『**春**』，『**ロミオとジュリエット**』や『**ベニスの商人**』で知られる[8]，地動説をとなえた**コペルニクス**など。ルネサンスの三大発明として，**火薬・羅針盤・活版印刷術**があげられる。

6. レオナルド＝ダ＝ヴィンチ
7. ミケランジェロ
8. シェイクスピア

4. 大航海時代

ポルトガルやスペインの国王は，特定の商人と結び保護し，その位置的な利点をついて新航路の発見に努めた。**香辛料**を得るためであった。[9]は喜望峰廻りでインドのカリカットに到り，[10]はアメリカ大陸に到達した。[11]は地球を一周した。これらによってポルトガル・スペインが**南アメリカ**を植民地化していった。

9. ヴァスコ＝ダ＝ガマ
10. コロンブス
11. マゼラン

5 絶対王政と市民革命

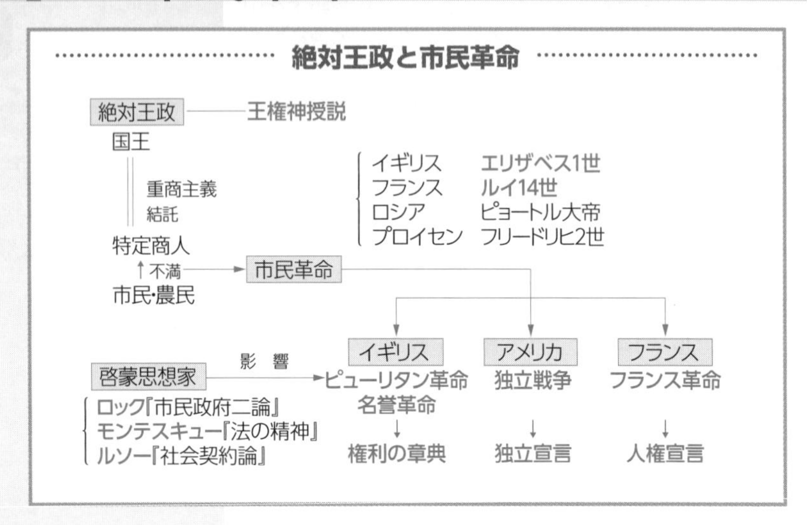

1．絶対王政

　十字軍の遠征によって教会の権威は失墜し，諸侯・騎士階級は没落し，国王が直接領土を支配する時代へと移行した。いわゆる絶対王政（絶対主義）の時代である。海外貿易を営む大商人を保護し，重商主義政策を展開した。また，16世紀イギリスの［ 1 ］，17世紀「朕は国家なり」で知られるフランスの［ 2 ］など，王権神授説のもと国王が神格化した。

1. エリザベス1世
2. ルイ14世

2．イギリスの革命

　イギリスでは国王が大商人と結んでピューリタン（清教徒）を圧迫し，専制政治を行った。そのため議会は1628年［ 3 ］を可決。1642年クロムウェルの率いる鉄騎隊を中心に［ 4 ］が起き，1649年国王［ 5 ］を処刑した。クロムウェルはアイルランドを征服し，英蘭戦争でオランダから制海権を奪った。彼の死後厳しい政治の反動が起き王政に戻った。国王［ 6 ］は議会を無視したため，1688年［ 7 ］が起き，国王はフランスに亡命

3. 権利の請願
4. ピューリタン革命
5. チャールズ1世
6. ジェームズ2世
7. 名誉革命

し，新しく**オランダ**より国王を迎え，ウィリアム３世とした。翌年[8]が公布された。

３．アメリカの独立

18世紀前半の北アメリカ東岸には，信仰の自由や貿易の利益などを求めたイギリス人が**13州**の植民地をつくった。本国は，フランスとの領土争いからその費用を賄うため，植民地に印紙法など重税をかけた。それに対し植民地の人々は「**代表なくして課税なし**」と反抗運動を繰り広げた。1773年の**ボストン茶会事件**を端緒として，**独立戦争**となった。植民地側は[9]を総司令官に戦い，1776年フィラデルフィアで[10]を発した。この戦争は８年間続いたが，1783年**パリ条約**を結び独立を達成した。独立後**合衆国憲法**が制定され，[11]が初代大統領に就任した。

４．フランス革命とナポレオン

フランスの旧制度（**アンシャン＝レジーム**）では，３つの身分に分かれた。第一身分の聖職者と第二身分の貴族，これら人口にして１割に満たない者が，国土の約３分の１を所有し，免税など特権をもっていた。1789年国王[12]は**三部会**を召集した。しかし第三身分（平民）の代表は**国民議会**をつくり，反抗したため，国王は武力で抑えようとした。民衆は**バスティーユ牢獄**を襲い，各地で反乱が起こった。同年国民議会は[13]を採択した。1791年[14]と**マリー＝アントワネット**は国外に逃亡しようとして捕らえられ（ヴァレンヌ逃亡事件），1792年男子普通選挙が行われ**ロベスピエール**が実権を握り，翌年２人は処刑された。**ロベスピエール**の政治も急進的だったため政敵に処刑された。このような動乱の中，各国は革命に干渉してきた。そこへ登場したのが[15]であった。彼は外国を遠征して国民の信望を集め，1804年**皇帝**に即位。しかし1812年**ロシア**遠征の失敗後各国軍に敗れた。その処理のために[16]が開かれた。

8. 権利の章典
9. ワシントン
10. 独立宣言
11. ワシントン
12. ルイ16世
13. 人権宣言
14. ルイ16世
15. ナポレオン
16. ウィーン会議

6 第二次大戦後の国際関係

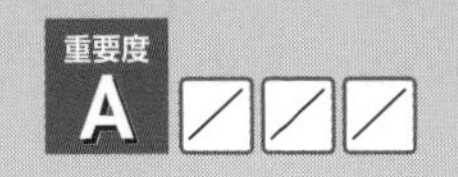

戦後の国際関係の流れ

【社会主義国】	【資本主義国】	【第三世界】
1947コミンフォルム	'47マーシャル・プラン	'46以降アジア諸国の独立相次ぐ
'48ベルリン封鎖		
'48朝鮮民主主義人民共和国	'48大韓民国	'48イスラエル建国
'49コメコン結成	'49ＮＡＴＯ結成	
'49ドイツ民主共和国	'49ドイツ連邦共和国	
'49中華人民共和国		
	'50朝鮮戦争（～53）	
	'51サンフランシスコ平和条約 日米安全保障条約	
	'54ジュネーブ休戦協定	'54周・ネルー平和５原則
'55ワルシャワ条約機構		'55ＡＡ会議
'56ハンガリー動乱		'56スエズ動乱
		'59キューバ革命
	（諸説あり）'59ベトナム戦争（～75）	'60年代アフリカ諸国の独立相次ぐ
	'62キューバ危機	
	'73拡大ＥＣ	'73第四次中東戦争
'76ベトナム社会主義共和国		
	'79米中国交樹立	
'79ソ連アフガニスタン侵攻（～89）		
		'80イラン・イラク戦争（～88）
'89天安門事件 東欧民主化の流れ	**'89ベルリンの壁開放**	
	'90東西ドイツ統合	
'91ソ連邦崩壊→独立国家共同体（ＣＩＳ）に移行	'93欧州連合（ＥＵ）	'91湾岸戦争
'97香港返還		
	2002ＥＵ通貨統合	'01米国同時多発テロ
	'09 ＥＵ大統領誕生	'03イラク戦争
'22ロシアがウクライナ軍事侵攻		

1. 国際連合
2. フランス
3. 拒否権

戦後，**国際連盟**の反省から［ 1 ］が結成された。**安全保障理事会**の常任理事国であるアメリカ・ソ連・イギリス・［ 2 ］・中国の５か国には［ 3 ］を与えた。

1945年［4］によってドイツの占領管理，ソ連の対日参戦などが決められた。アメリカの原爆完成，投下により日本は降伏し，第二次大戦は終結した。第二次大戦の終結とともに米ソ間の協調は崩れ，**アメリカ**を中心とした資本主義国と**ソ連**を中心とする社会主義国が対立する**冷戦**時代を迎えた。

ドイツは東西に分離独立し，［5］も東西に分断され，ソ連による［6］封鎖が起きた。朝鮮は南北に分離独立した。

軍事大国の米ソは直接戦わず代理戦争が起きるようになった。それが50年の［7］である。アメリカは51年**サンフランシスコ平和条約**で日本を独立させ，**日米安全保障条約**を結び資本主義陣営に属させた。アメリカのアイゼンハワーとソ連のマレンコフは平和的解決を望み53年［8］は終結した。

このような国際情勢の中で，戦後，アジア，アフリカの国々は次々と独立し，米ソどちらの陣営にも属さない［9］（第三世界）を形成した。54年インドの**ネルー**と中国の**周恩来**は［10］を協定，翌年［11］（**ＡＡ会議**，**バンドン会議**）が開かれた。

フランスより南北に分離独立した**ベトナム**は，統一戦争を行うが，アメリカはこれに介入し北爆を強行。しかし最終的に**北ベトナム**が統一した。ソ連は**アフガニスタン**に10年余り侵攻したが，経済的に破綻し撤退した。このようにして米ソの権威は崩れ，両国は互いに歩み寄るようになった。そして第三世界の国が台頭し，多極化の時代を迎え協調外交へと変化した。ソ連では［12］大統領の**ペレストロイカ**が始まり，東欧は民主化の流れが起こり，**ベルリン**の壁が開放され，90年**東西ドイツ**が**統合**された。89年米ソ首脳による**マルタ会談**によって「冷戦」でないことが確認された。また，91年には**ソ連邦**が**解体**し，約70年間続いた社会主義体制が崩壊した。

93年には**EU**（ヨーロッパ連合）が成立し加盟国は［13］か国（2023年7月現在）となった。

2002年にはスイス，東ティモールが国連に加盟した。

物質文明の進んだ国々と一部のイスラム諸国等との間

4. ヤルタ会談
5. ベルリン
6. ベルリン
7. 朝鮮戦争
8. 朝鮮戦争
9. 非同盟諸国
10. 平和５原則
11. アジア・アフリカ会議
12. ゴルバチョフ
13. 27

の対立が生まれ（**文明の対立**），なかでも，湾岸戦争，米国同時多発テロ，イラク戦争など，対アメリカの紛争が目立つようになった。近年，**地域紛争**や**テロリズム**が多発し，IS（イスラム国）との紛争も発生した。

2020年，**イギリス**がEU離脱。

2022年，トンガ王国で大規模火山噴火。ロシアが［14］に軍事侵攻。インド太平洋経済枠組み（IPEF）発足。英国の女王エリザベス2世死去。

2023年，トルコ・シリアでM7.8の大地震。［15］が**NATO**（**北大西洋条約機構**）に加盟。

2024年，［16］がNATOに加盟。

14. ウクライナ

15. フィンランド

16. スウェーデン

【EUの変遷】

年号	加盟国
1967年	EC（ヨーロッパ共同体）発足6か国：フランス，ベルギー，ルクセンブルク，オランダ，イタリア，西ドイツ
1973年	イギリス，デンマーク，アイルランド加盟（9か国）
1981年	ギリシア加盟（10か国）
1986年	スペイン，ポルトガル加盟（12か国）
1990年	統一ドイツ加盟
1993年	**EU**（ヨーロッパ連合）へ
1995年	スウェーデン，フィンランド，オーストリア加盟（15か国）
2002年	共通通貨**ユーロ**が一般に流通
2004年	マルタ，スロヴェニア，スロヴァキア，ハンガリー，ポーランド，チェコ，キプロス，エストニア，リトアニア，ラトビア加盟（25か国）
2007年	ブルガリア，ルーマニア加盟（27か国）
2009年	リスボン条約発効
2013年	クロアチア加盟（28か国）
2020年	イギリスのEU離脱

4
地　理

1 時差と地図

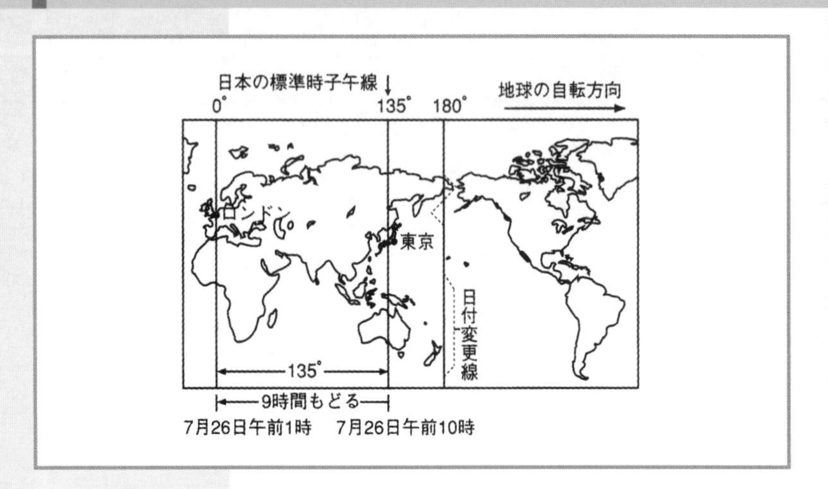

1．時　差

▶地球は，1日に［ 1 ］度（A），西から東へ自転し，1日は［ 2 ］時間（B）だから，AをBで割ると，経度［ 3 ］度で1時間の**時差**が生じる。経度0度のロンドンと東経135度の東京では［ 4 ］時間の**時差**があることになる。

▶ほぼ経度180度にそって［ 5 ］が引かれており，日付を調整する。西から東へこの線をこす場合は，日付を1日［ 6 ］。

2．地　図

▶［ 7 ］……緯線と経線が直角に交わり，**航海図**に利用される。2点間を結ぶ線は等角航路である。

▶［ 8 ］……緯線は直線，経線は曲線で，面積は正しいが両端の形はゆがむ。**世界図**や**分布図**に利用される。

▶［ 9 ］……図の中心から距離・方位が正しく，図の中心からの直線は**最短**コースであり，大圏航路である。**航空図**に利用される。

1. 360
2. 24
3. 15
4. 9
5. 日付変更線
6. 遅らせる
7. メルカトル図法
8. モルワイデ図法，サンソン図法
9. 正距方位図法

2 世界の気候

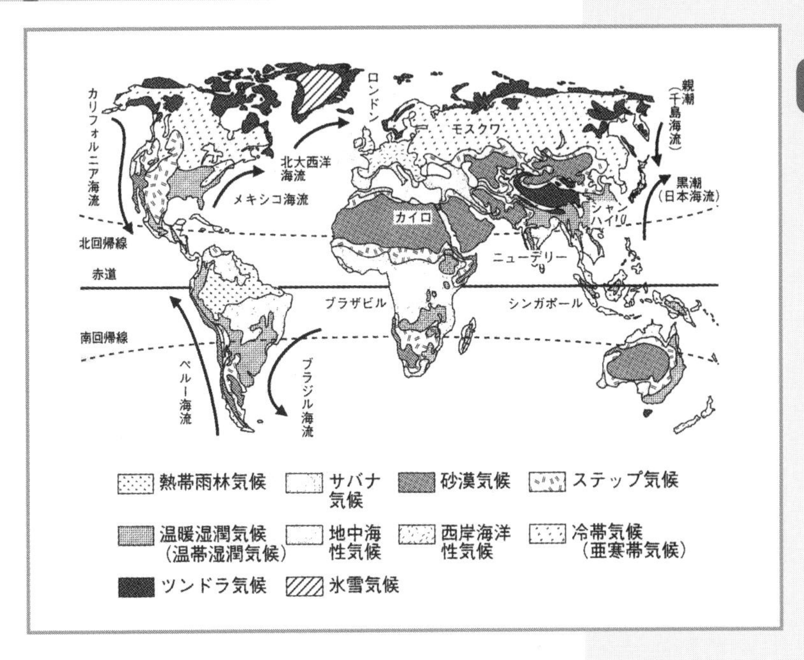

▶ 1 気候……1年中高温多雨。夕方の 2 が特徴。樹木がよく茂り，**熱帯密林**が広がっている。

▶ 3 気候……1年中高温。**雨季**と**乾季**がある。雨季には樹木がまばらに生え，丈の高い草が茂る。

▶ 4 気候……夏高温乾燥，冬温暖少雨。大陸**西岸**の緯度30～40度付近。ぶどう，コルクがし。

▶ 5 気候……夏涼しく，冬温暖。大陸**西岸**に多くみられる。 6 流と 7 風の影響。

▶ 8 気候……年**降水量**250mm以下で，樹木は生育しない。気温の**日較差**が特に大きい。地下水の湧き出る 9 がある。

▶ 10 気候……**砂漠**気候の周辺。短い**雨季**にわずかな**降水量**がある。丈の短い草が成育する。**遊牧民**が生活。

1. 熱帯雨林
2. スコール
3. サバナ
4. 地中海性
5. 西岸海洋性
6. 暖
7. 偏西
8. 砂漠
9. オアシス
10. ステップ

3 東・東南アジア

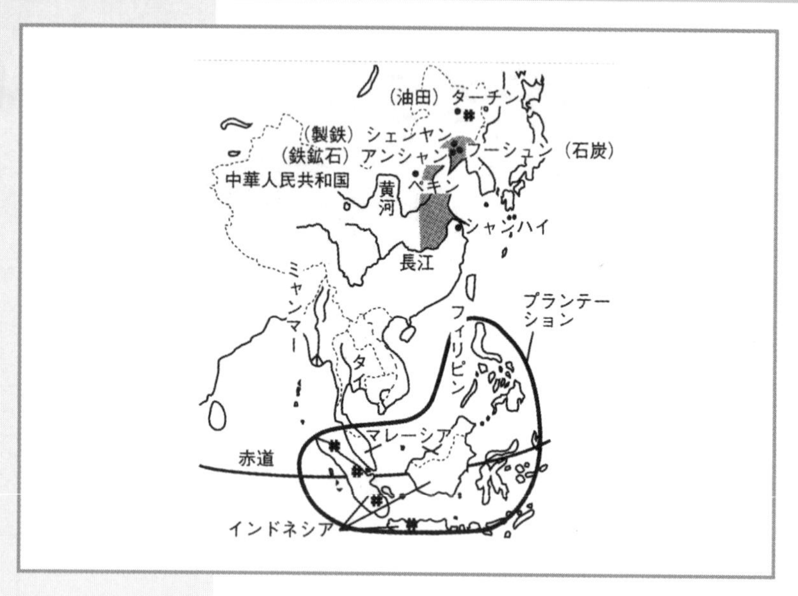

1．中　国

農業……東北・華北：［ 1 ］中心。華中・華南：［ 2 ］中心。西部：**牧畜**中心。米・小麦・茶の生産は世界有数。

鉱工業……石炭・原油・鉄鉱石などが豊富。東北地方を中心に**海岸線**沿いに発達。

台湾……［ 3 ］など電子・電気機械の輸出。**半導体**。

2．朝鮮半島

韓国……**稲作**中心，重化学工業の発達。造船。

北朝鮮……**畑作**中心，地下資源豊富，重化学工業。

3．東南アジア

タ　イ……［ 4 ］の輸出国。天然ゴム。

シンガポール……**中継貿易**。電子機器の生産。

インドネシア……［ 5 ］・天然ゴム・銅鉱・合板類の輸出。

フィリピン……稲作・果実・やし油

1. 畑作
2. 稲作

※1997年香港，1999年マカオ返還。

3. スマートフォン

※NIES（新興工業経済地域）

4. 米

※2005年1月スマトラ沖大地震及びインド洋津波被害

5. 天然ガス

※華僑（華人）

4 南・西アジア，アフリカ

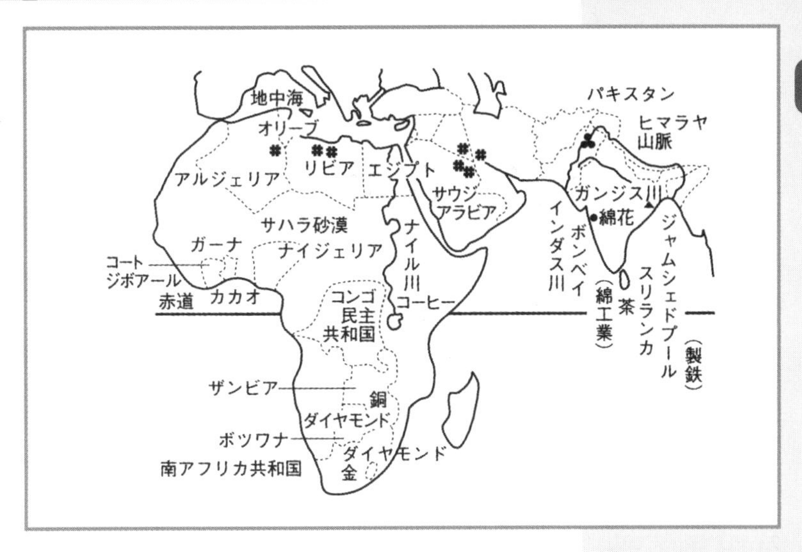

1．南・西アジア

インド……米・小麦・茶・綿花・［ 1 ］などの生産。
　鉄鋼業・機械工業。

スリランカ……［ 2 ］の生産。

西アジア……［ 3 ］教の信者が多い。［ 4 ］の生産。
　［ 5 ］を結成し**世界経済**に大きく影響を与える。
　［ 6 ］と呼ばれる地下水路。

2．北アフリカ……［ 7 ］砂漠より北側。

地中海沿岸は［ 8 ］式農業（果樹栽培）。

エジプト……［ 9 ］により緑化政策，工業化。

3．中・南アフリカ……［ 10 ］砂漠より南側。

コートジボアール，ガーナ……［ 11 ］
　※モノカルチャー（単一栽培）

ギニア……ボーキサイト

ボツワナ……ダイヤモンド

コンゴ民主共和国……［ 12 ］

南アフリカ共和国……［ 13 ］・白金・**ダイヤモンド**

1. ジュート
2. 茶
3. イスラーム
4. 石油
5. 石油輸出国機構（OPEC）
6. カナート
※スエズ運河
7. サハラ
8. 地中海
9. アスワンハイダム
10. サハラ
11. カカオ
12. ダイヤモンド
13. 金

5 西ヨーロッパ

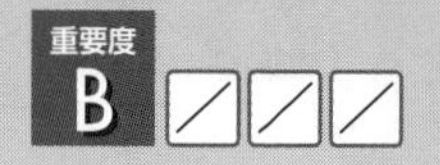

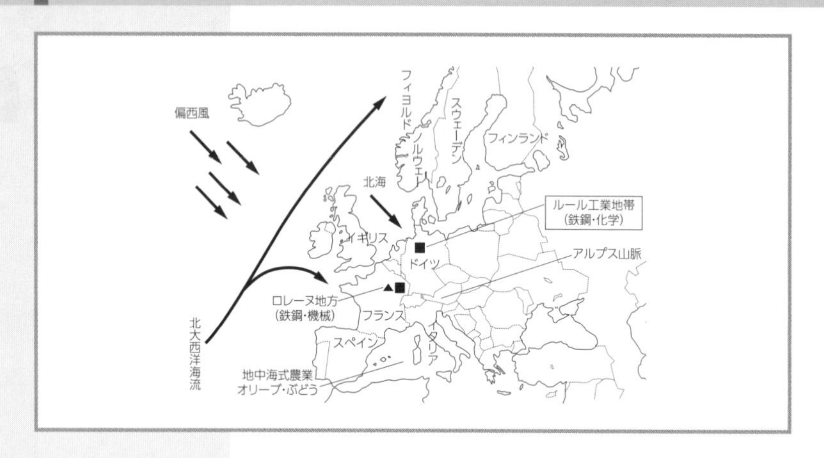

1．西ヨーロッパ

西岸海洋性気候……**北大西洋海流**と[1]。

[2]……域内経済・通貨（ユーロ）等の統合。

イギリス……世界初の[3]の国。[4]油田の開発。2020年，**EU**離脱。

フランス……農業国，小麦輸出。南部は[5]式農業。

ドイツ……1990年**東西ドイツ**統合。欧州最大の**工業**国。

2．南ヨーロッパ

地中海式農業……ぶどう・[6]・コルクがし

イタリア……南部：農業。北部：工業。

ギリシア……農業，古代遺跡。

スペイン……農業，牧羊，鉄鉱石。

3．北ヨーロッパ

すすんだ**社会保障**制度。

デンマーク……[7]王国

ノルウェー……海岸線の地形は[8]，漁業。原油。

スウェーデン
フィンランド ｝氷河のため**湖**や**森林**が多い。

4．NATOの拡大

1. 偏西風
2. EU（東欧にも拡大）
3. 産業革命
4. 北海
5. 地中海
   ※混合農業
   ※ルール工業地帯
6. オレンジ類
7. 酪農
8. フィヨルド

6 東ヨーロッパ・ロシア

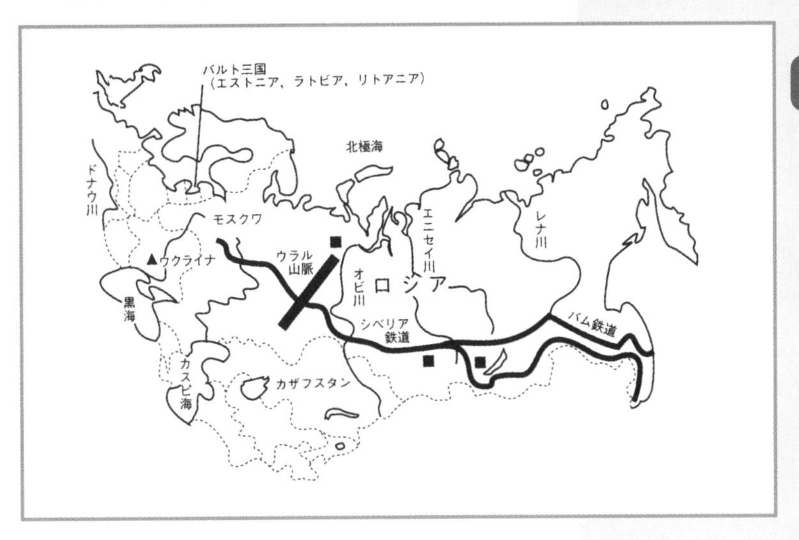

1. 独立国家共同体（CIS）

［ 1 ］山脈を境に西側：**ヨーロッパ＝ロシア**。東側：**シベリア**。南側：**中央アジア**。シベリアには［ 2 ］とよばれる針葉樹林。

農　業……［ 3 ］は世界有数の**穀倉地帯**。中央アジアは［ 4 ］の栽培。

鉱工業……［ 5 ］の結成。原料・燃料と動力を結びつけたもの。ロシアの**原油**・**天然ガス**。

国土開発……シベリア鉄道，バム鉄道，運河。

※1917年の［ 6 ］により社会主義国家を建設したが，1991年に**ソビエト連邦**は崩壊し，独立国家共同体（CIS）として発足した。

2. 東ヨーロッパ

第二次大戦後，ソビエトの主導のもとに社会主義圏を構成していたが，近年各国とも自由主義路線に転じ，［ 7 ］，［ 8 ］も解体した。

1. ウラル
2. タイガ
3. ウクライナ
4. 綿花
5. コンビナート
6. ロシア革命
7. コメコン
8. ワルシャワ条約機構

7 アングロアメリカ

重要度 B

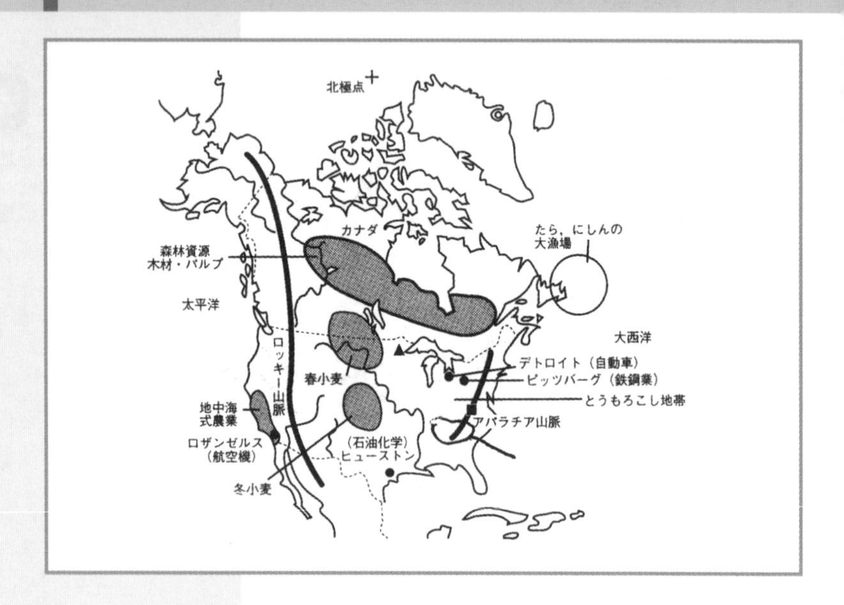

1．アメリカ合衆国

18Ｃイギリスより独立。政治・経済・軍事面で世界的に影響力を持つ。

農牧業……企業的，商業的，大規模，適地適作。

北部：春小麦地帯。中部：冬小麦地帯。五大湖沿岸：［ 1 ］地帯。南部：とうもろこし地帯。太平洋岸：［ 2 ］式農業。

情報通信技術産業……北部のスノーベルト（工業地域）に代わり，南部の［ 3 ］とよばれる地域にIT関連企業が集中し，テクノロジー分野が急成長。

※貿易摩擦…市場開放問題。

2．カナダ

［ 4 ］より独立。アメリカとの結びつき。

農業……小麦の産地。

林業……日本などへ輸出。

工業……パルプ・紙類。五大湖・セントローレンス。

1. 酪農
2. 地中海
3. サンベルト
4. イギリス

8 ラテンアメリカ・オセアニア・両極

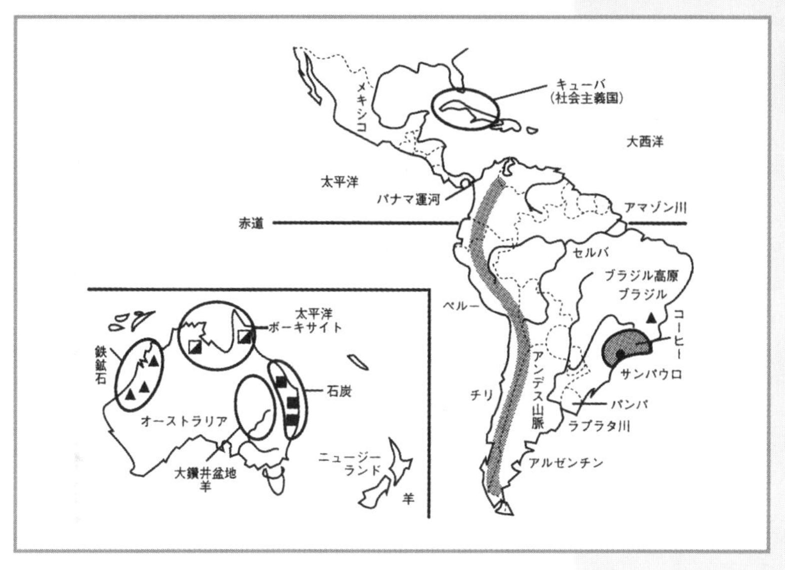

1．ラテンアメリカ

スペイン・ポルトガルの植民地，19Ｃ独立。

メキシコ……銀，石油の産出。

パナマ……大西洋と太平洋を結ぶ[1]運河。

ブラジル……[2]の世界的産地，大豆，果実。鉄鉱石の輸出。日本からの移民。

アルゼンチン……ラプラタ川下流域の[3]の小麦，牧羊。農産物をヨーロッパへ輸出。

2．オセアニア

オーストラリア

農牧業……世界最大の牧羊国。大鑽井盆地での[4]井戸。南東部：酪農，小麦。

鉱工業……石炭・鉄鉱石・アルミニウムの輸出。

ニュージーランド……西岸海洋性気候，酪製品。

3．両　極

南極：観測基地。北極：亜欧・米欧間の航空路。

※メスティーソ（白人とインディオの混血）

1. パナマ
2. コーヒー
3. パンパ
4. 掘り抜き

9 日本の国土と自然

重要度 A

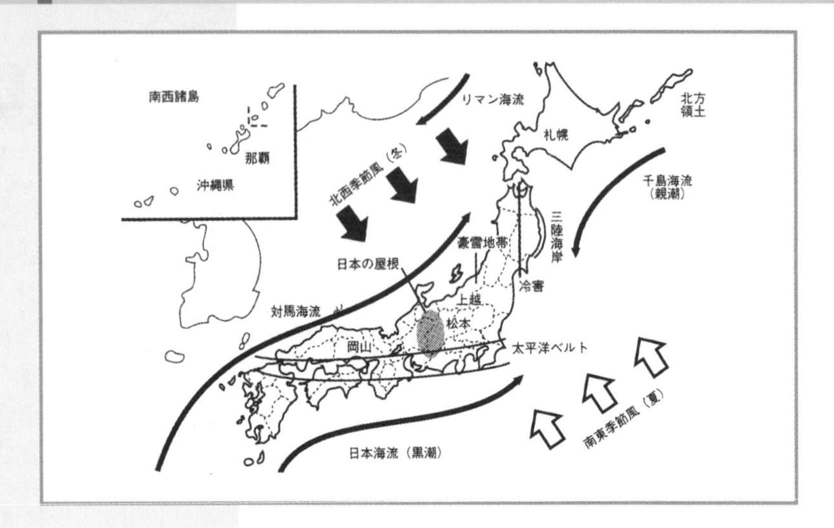

(1) 人口：1.24億人，**太平洋ベルト**地域に集中。

(2) 面積：［ 1 ］万km²（北方領土を含む）

(3) 山地：［ 2 ］造山帯の一部。国土の約**75**%が**山地**。中央アルプスは**日本の屋根**。

(4) 平地：国土の約［ 3 ］%。沖積平野のみ，構造平野はみられない。

(5) 河川：河口に［ 4 ］、盆地に［ 5 ］ ｝川の運搬作用による。

(6) 海：東シナ海に［ 6 ］がみられる。［ 7 ］海岸……**三陸海岸**，**若狭湾**など。

(7) 海流：［ 8 ］……暖流と寒流の合流地点。

(8) 気候：

① ［ 9 ］気候…夏高温多湿，冬乾燥

② ［ 10 ］気候…夏高温少雨，冬多雨（雪）

③ ［ 11 ］気候…夏冷涼少雨，冬厳寒少雨（雪）

④ ［ 12 ］気候…夏高温少雨乾燥，冬温暖

⑤ ［ 13 ］気候…夏冷涼少雨，冬厳寒少雨

⑥ ［ 14 ］気候…夏高温多雨，冬温暖

1. 37.8
2. 環太平洋
3. 25
4. 三角州
5. 扇状地
6. 大陸棚
7. リアス
8. 潮目
9. 太平洋岸
10. 日本海岸
11. 北海道
12. 瀬戸内
13. 中央高地
14. 南西諸島

10 地　形　図

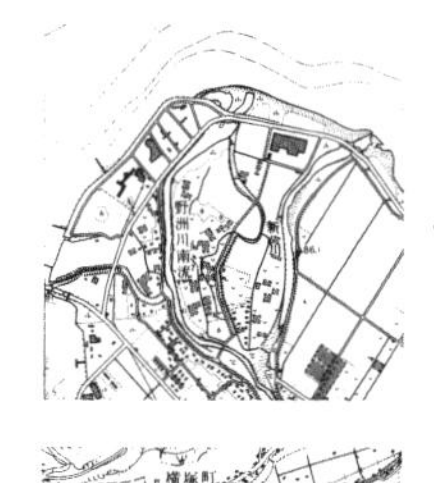

三角州

扇状地

等高線（コンター）

種類	5万分の1	2万5千分の1
計曲線	100m	50m
主曲線	20m	10m

⑴　縮尺：実際の距離を縮めた長さの割合。

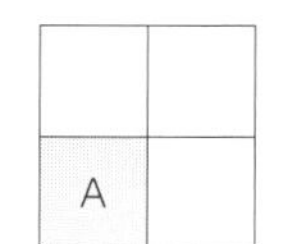

A

1 ：50000　1 ：25000

実際の距離＝**地図**上の長さ×**縮尺**の分母

⑵　方位：普通は上が［ 1 ］，**16方位**で表す。

⑶　等高線：**海抜高度**が同じ地点を結んだもの。

⑷　地図記号

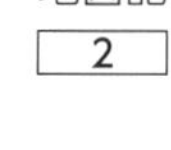

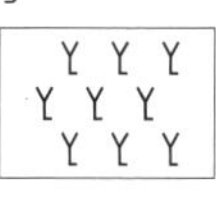
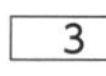

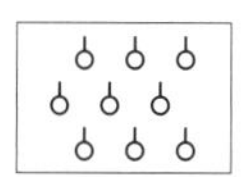

［ 4 ］

［ 5 ］
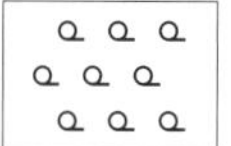

1. 北

2. 桑畑

3. 果樹園

4. 発電所・変電所

5. 広葉樹林

11 九州・中国・四国地方

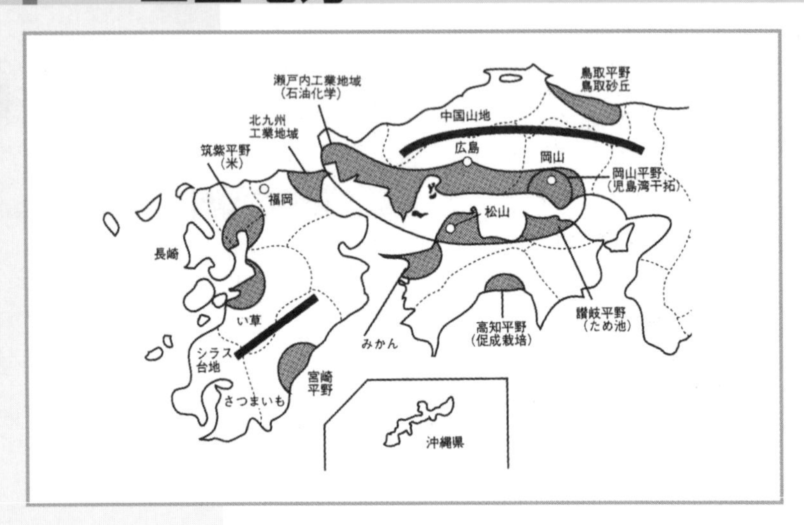

1. 九州地方

農業……［ 1 ］平野：九州一の稲作地。［ 2 ］平野：い草。［ 3 ］台地：さつまいも，ブロイラー。［ 4 ］平野：野菜の促成栽培。南西諸島：さとうきび，パイナップル。

工業……北九州工業地域*：かつては鉄鋼業中心。中・南九州地方：化学工業や半導体・電子工業など。シリコンアイランドともいわれる。

2. 中国・四国地方

農業……［ 5 ］：山地の斜面でのみかん栽培など。［ 6 ］の干拓：稲作。［ 7 ］平野：香川用水，稲作。［ 8 ］砂丘：20世紀なし。［ 9 ］平野：野菜の促成栽培。

工業……瀬戸内工業地域：［ 10 ］・造船など。

漁業……かつお，ぶり，まぐろなど。

1. 筑紫
2. 八代
3. シラス
4. 宮崎

＊産業構造の変化により相対的地位の低下

5. 段々畑
6. 児島湾
7. 讃岐
8. 鳥取
9. 高知
10. 石油化学工業

※2016年4月熊本地震発生。

12 近畿・中部地方

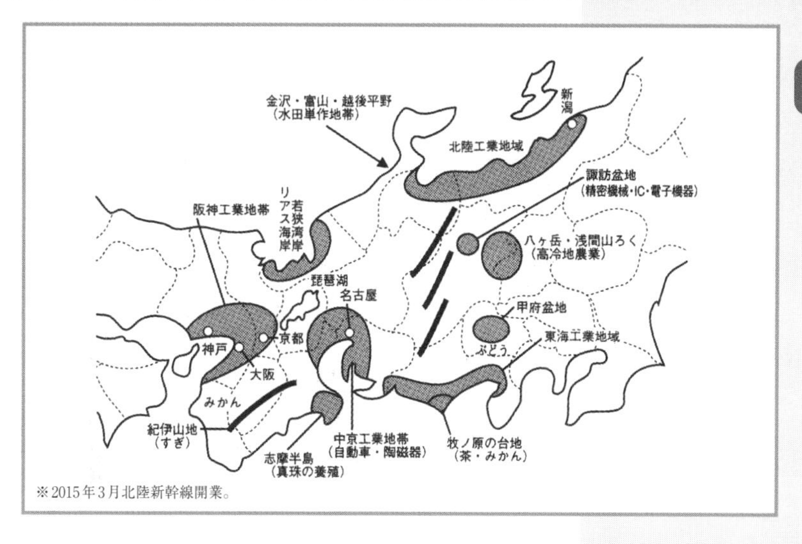

※2015年3月北陸新幹線開業。

1．**近畿地方**

農業……大都市周辺の［ 1 ］農業。有田川，紀ノ川：［ 2 ］の産地。

漁業……志摩半島：［ 3 ］の養殖。

工業……**阪神工業地帯**：重化学，鉄鋼，機械，紡績。［ 4 ］：西日本最大の貿易港。

2．**中部地方**

農業……〔東海〕静岡：茶，みかん。濃尾平野：米。

〔中央〕**高冷地農業**，［ 5 ］盆地：りんご。［ 6 ］盆地：ぶどう。

〔北陸〕穀倉地帯，［ 7 ］平野：米。

工業……**中京工業地帯**：石油化学，機械，繊維，窯業。**東海工業地域**：楽器，製紙，パルプ。内陸工業地域：精密機械，電子機器。**北陸工業地域**：化学繊維，精油，製薬。

1. 近郊
2. みかん
3. 真珠
4. 神戸

※輪中

5. 長野
6. 甲府
7. 越後

※1995年1月阪神・淡路大震災発生。

※2007年7月新潟県中越沖地震発生。

※2024年1月能登半島地震発生。

13 関東・東北・北海道地方

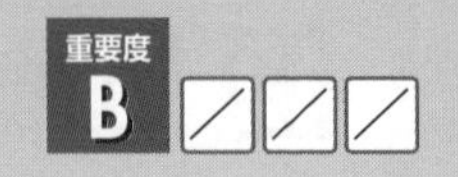

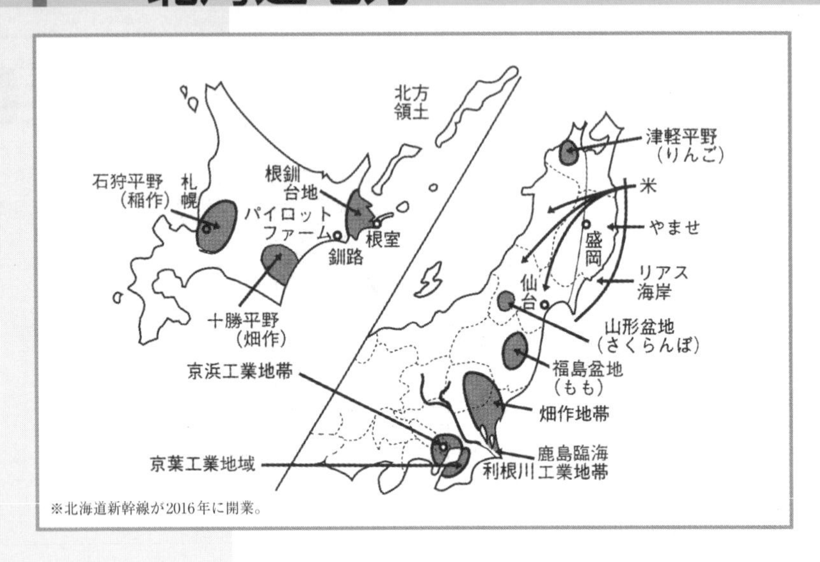

※北海道新幹線が2016年に開業。

1. 近郊
2. 関東ローム層
3. 横浜
※フェーン現象
※冷害，やませ
4. りんご 5. もも
6. さくらんぼ
7. リアス 8. 潮目
※2011年3月東日本大震災発生。
9. 十勝
※パイロットファーム

1．関東地方

農業……大都市周辺の[1]農業。[2]のため畑作中心の農業。

工業……**京浜工業地帯**：重化学，機械，出版，印刷。[3]：日本最大級の貿易港。**京葉工業地域**：鉄鋼，石油化学。**鹿島臨海工業地帯**：人工港，石油化学。

2．東北地方

農業……稲作中心。青森県：[4]。福島県：[5]。山形県：[6]。

漁業……**三陸海岸**：[7]海岸のため良港。**日本海流**と**千島海流**の合流…[8]。

3．北海道地方

農業……[9]平野：てんさい，じゃがいも。石狩平野・上川盆地：米。根釧台地：**酪農**。

工業……**資源**を生かした工業，水産加工，パルプ。

●重要頻出用語

〈日本編〉

1. 河川の**運搬**作用により，**河口**に細かな土砂が**堆積**した平地。
2. 山地から**平野の出口**にできる緩やかな**傾斜地形**。
3. 雨水中の**炭酸カルシウム**が**石灰岩**を溶かしてできた地形。
4. **堤防**で囲まれた耕地や集落。
5. 関東地方の**洪積台地**の表面をおおう**赤褐色**の**火山灰**の層。
6. 冬に北関東で吹く**北西**の**冷たい乾いた**風。
7. 初夏の三陸地方で吹く**冷涼湿潤**な**北東**風。
8. 山地から吹き下ろす**高温**で**乾燥**した風。
9. 土地の**沈降**，海水の**侵入**によって形成された海岸。
10. **軽石**や**火山灰**からなる台地。雨水は浸透し，大雨で崩れやすい。

〈世界編〉

11. **砂漠**の中で局地的に**水**が得られ，**植物**が成育するところ。
12. イランなどの乾燥地域にみられる**地下用水路**。
13. オランダからベルギーにかけての**干拓地**。
14. 不透水層にはさまれた透水層が，**被圧地下水**を水源として，飲料水として使われる。
15. スイスで行われる**垂直移動式**の牧畜業。
16. **主穀**と**飼料作物**を栽培し，**肉用家畜**の飼育に力を入れて，畜産物の販売を目的とする農業。
17. 欧米の資本・技術と現地の安い豊富な労働力で行われる**商業**的農園。
18. インドでバラモン教から起こり，仏教や民間信仰などを取り入れた多神教。バラモン・クシャトリヤ・ヴァイシャ・シュードラなどの**身分制度**。
19. 1967年にECとして結成され，**経済通貨統合**，**共通外交・安全保障政策**の実施を目指す。
20. **石油産出国**がその量や価格の調整をする機関。

1. 三角州
2. 扇状地
3. カルスト
4. 輪中
5. 関東ローム層
6. からっ風
7. やませ
8. フェーン
9. リアス海岸
10. シラス台地
11. オアシス
12. カナート
13. ポルダー
14. 掘り抜き井戸
15. 移牧
16. 混合農業
17. プランテーション
18. ヒンドゥー教，カースト制度
19. EU（ヨーロッパ連合）
20. 石油輸出国機構（OPEC）

【日本の世界自然遺産】

記載年	資産名	所在地
1993	屋久島	鹿児島県
1993	白神山地	青森県・秋田県
2005	知床	北海道
2011	小笠原諸島	東京都
2021	奄美大島，徳之島，沖縄島北部及び西表島	鹿児島県・沖縄県

【日本の世界文化遺産】

記載年	資産名	所在地
1993	法隆寺地域の仏教建造物	奈良県
1993	姫路城	兵庫県
1994	古都京都の文化財	京都府・滋賀県
1995	白川郷・五箇山の合掌造り集落	岐阜県・富山県
1996	原爆ドーム	広島県
1996	厳島神社	広島県
1998	古都奈良の文化財	奈良県
1999	日光の社寺	栃木県
2000	琉球王国のグスク及び関連遺産群	沖縄県
2004	紀伊山地の霊場と参詣道	三重県・奈良県・和歌山県
2007	石見銀山遺跡とその文化的景観	島根県
2011	平泉 -仏国土（浄土）を表す建築・庭園及び考古学的遺跡群-	岩手県
2013	富士山 -信仰の対象と芸術の源泉-	山梨県・静岡県
2014	富岡製糸場と絹産業遺産群	群馬県
2015	明治日本の産業革命遺産 製鉄・鉄鋼，造船，石炭産業	福岡県・佐賀県・長崎県・熊本県・鹿児島県・山口県・岩手県・静岡県
2016	ル・コルビュジエの建築作品 -近代建築運動への顕著な貢献-	東京都（ほか6か国と共有）
2017	「神宿る島」宗像・沖ノ島と関連遺産群	福岡県
2018	長崎と天草地方の潜伏キリシタン関連遺産	長崎県・熊本県
2019	百舌鳥・古市古墳群 -古代日本の墳墓群-	大阪府
2021	北海道・北東北の縄文遺跡群	北海道・青森県・岩手県・秋田県
2024	佐渡島の金山	新潟県

5
倫　理

1 日本の思想

重要度
B

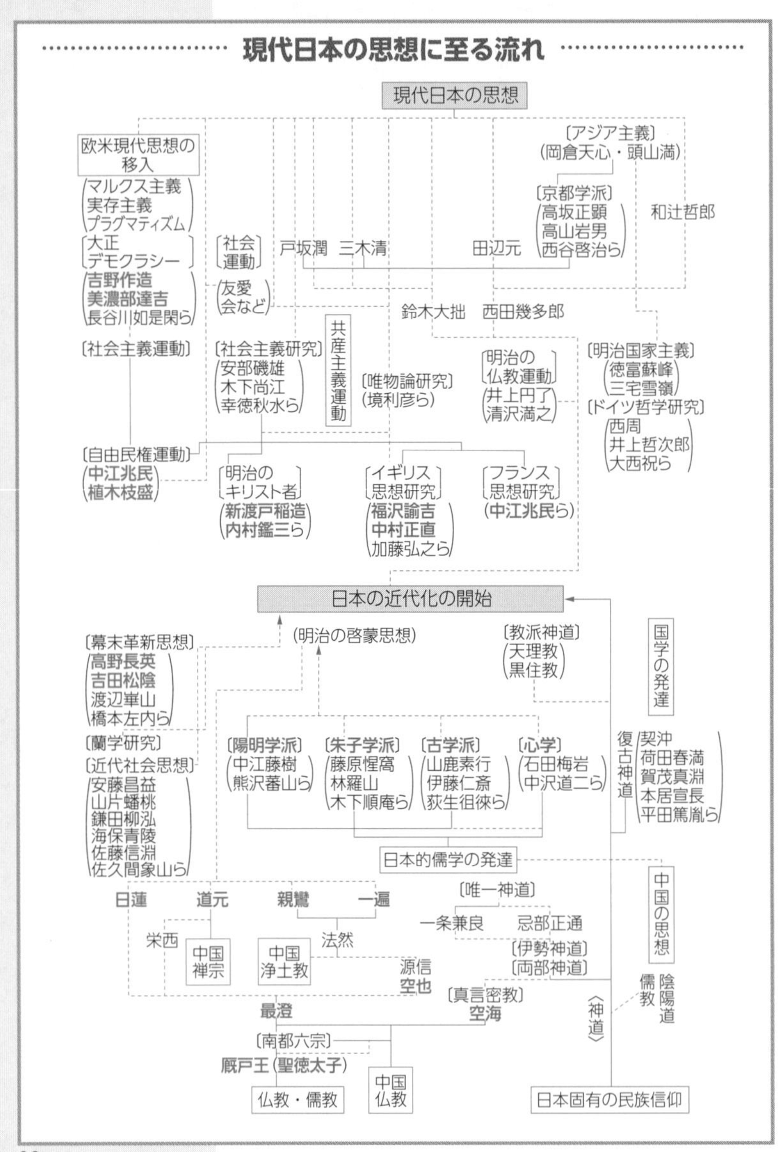
現代日本の思想に至る流れ
現代日本の思想
欧米現代思想の移入
マルクス主義
実存主義
プラグマティズム
〔アジア主義〕
(岡倉天心・頭山満)
〔京都学派〕
高坂正顕
高山岩男
西谷啓治ら
和辻哲郎
〔大正デモクラシー〕
〔社会運動〕
戸坂潤
三木清
田辺元
吉野作造
美濃部達吉
長谷川如是閑ら
友愛会など
鈴木大拙
西田幾多郎
共産主義運動
〔社会主義運動〕
〔社会主義研究〕
安部磯雄
木下尚江
幸徳秋水ら
〔唯物論研究〕
(境利彦ら)
明治の仏教運動
井上円了
清沢満之
〔明治国家主義〕
徳富蘇峰
三宅雪嶺
〔ドイツ哲学研究〕
西周
井上哲次郎
大西祝ら
〔自由民権運動〕
中江兆民
植木枝盛
明治のキリスト者
新渡戸稲造
内村鑑三ら
イギリス思想研究
福沢諭吉
中村正直
加藤弘之ら
フランス思想研究
(中江兆民ら)
日本の近代化の開始
〔幕末革新思想〕
高野長英
吉田松陰
渡辺崋山
橋本左内ら
(明治の啓蒙思想)
〔教派神道〕
天理教
黒住教
国学の発達
〔蘭学研究〕
〔近代社会思想〕
安藤昌益
山片蟠桃
鎌田柳泓
海保青陵
佐藤信淵
佐久間象山ら
〔陽明学派〕
中江藤樹
熊沢蕃山ら
〔朱子学派〕
藤原惺窩
林羅山
木下順庵ら
〔古学派〕
山鹿素行
伊藤仁斎
荻生徂徠ら
〔心学〕
石田梅岩
中沢道二ら
復古神道
契沖
荷田春満
賀茂真淵
本居宣長
平田篤胤ら
日本的儒学の発達
中国の思想
日蓮
道元
親鸞
一遍
〔唯一神道〕
一条兼良
忌部正通
栄西
中国禅宗
中国浄土教
法然
源信
空也
〔伊勢神道〕
〔両部神道〕
〔真言密教〕
空海
儒教
陰陽道
〈神道〉
最澄
〔南都六宗〕
厩戸王(聖徳太子)
仏教・儒教
中国仏教
日本固有の民族信仰

●日本の思想家

▶[1]は，仏教を奨励し，為政面では儒教を採用した。**憲法十七条**，三経義疏を残す。

▶[2]は，唐より帰朝し，高野山に**金剛峯寺**を建て，[3]を開いて**密教**の中心となった。

▶[4]は，遣唐使として入唐し，帰朝して比叡山の**延暦寺**で法華経を中心とする日本独自の[5]を開いた。

▶**源信**は，『[6]』を著し，阿弥陀仏の本願を信じて念仏をとなえ，**極楽往生**を願うことをすすめた。

▶**栄西**は，**坐禅**することによって人間のうちにある仏性を自覚し，悟りに達しようという自力の教えである[7]を伝えた。『[8]』を著した。

▶**道元**は，[9]の創始者で，ひたすら**坐禅**にうちこむ修行法をとった。『[10]』を著した。

▶古典研究の大成者である**本居宣長**は，『[11]』を著し，神のつくりたまえる道＝**古道**を説いた。

▶**石田梅岩**は，神儒仏三教の思想を取り入れ，通俗平易な講話で日常生活に即した[12]を創始。

▶**伊藤仁斎**は，『論語』『孟子』などの原典批判を通じて，直接聖人の道を正しく理解しようと**古義学**をとなえた。京都堀川に[13]を開いた。

▶[14]は，フランスの**自由民権論**を説き，**ルソー**の『**社会契約論**』を訳した。

▶啓蒙思想家の**福沢諭吉**は，[15]社創設に参加し，「**脱亜入欧**」を主張した。

▶**幸徳秋水**は，**社会民主党**結成に参加。[16]社を設立し，[17]新聞で日露戦争反対を訴えた。**大逆事件**で刑死した。

▶**三宅雪嶺**は，日本固有の伝統や国情に即して欧米文化を吸収していこうという「[18]主義」をとなえた。

▶**吉野作造**は，政治の目的が民衆の福利にあり，政策決定が民衆の意向にもとづくべきとする「[19]主義」をとなえた。

1. 厩戸王（聖徳太子）
2. 空海
3. 真言宗
4. 最澄
5. 天台宗
6. 往生要集
7. 臨済宗
8. 興禅護国論
9. 曹洞宗
10. 正法眼蔵
11. 古事記伝
12. 心学
13. 古義堂
14. 中江兆民
15. 明六
16. 平民
17. 平民
18. 国粋
19. 民本

2 中国思想

重要度
B

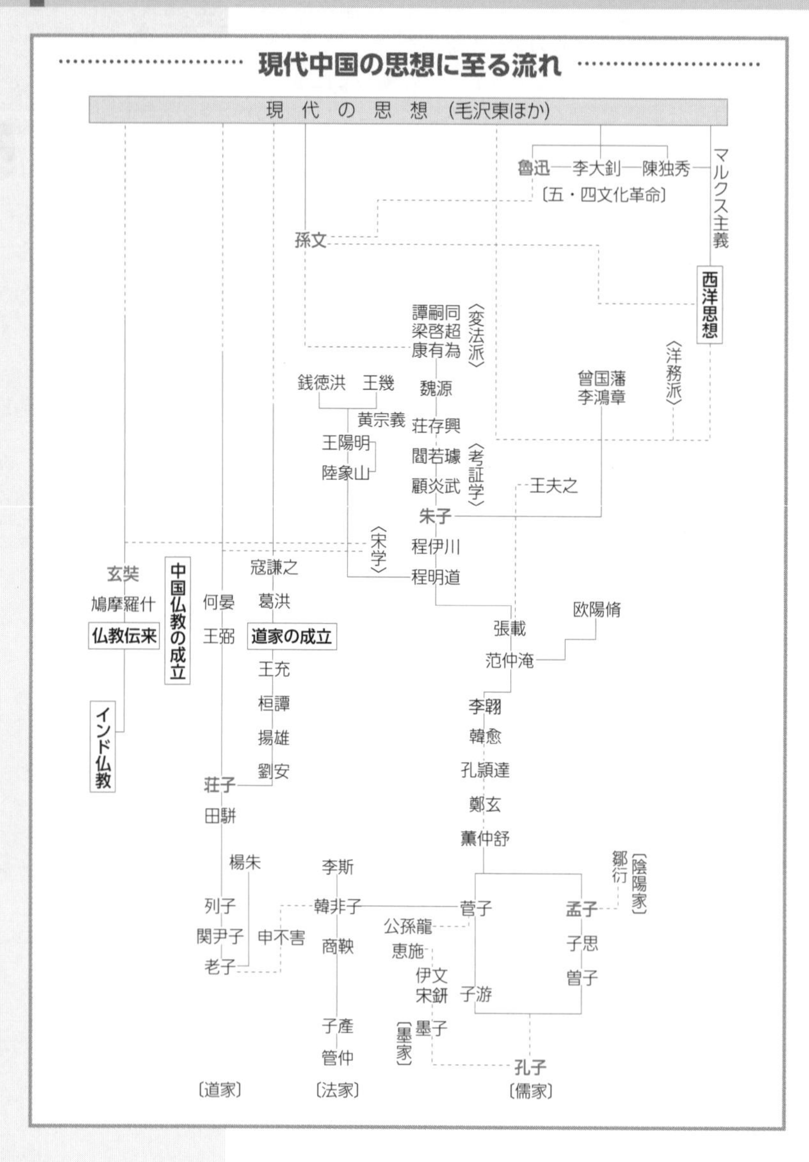
現代中国の思想に至る流れ
現代の思想（毛沢東ほか）
魯迅
李大釗
陳独秀
〔五・四文化革命〕
マルクス主義
孫文
西洋思想
譚嗣同
梁啓超
康有為
〈変法派〉
〈洋務派〉
曾国藩
李鴻章
銭徳洪
王畿
魏源
黄宗羲
荘存興
王陽明
閻若璩
陸象山
顧炎武
〈考証学〉
王夫之
朱子
〈宋学〉
程伊川
程明道
玄奘
鳩摩羅什
仏教伝来
中国仏教の成立
インド仏教
何晏
王弼
寇謙之
葛洪
道家の成立
王充
桓譚
揚雄
劉安
荘子
田駢
楊朱
列子
関尹子
老子
申不害
李斯
韓非子
商鞅
子産
管仲
公孫龍
恵施
伊文
宋銒
墨子
〔墨家〕
張載
欧陽脩
范仲淹
李翺
韓愈
孔潁達
鄭玄
董仲舒
管子
子游
鄒衍
〔陰陽家〕
孟子
子思
曽子
孔子
〔道家〕
〔法家〕
〔儒家〕

●中国の思想家

▶**孔子**は，**周**の初めの頃の社会を理想とし，封建制の復活をとなえた。その達成手段として家族的な愛から出発して，人倫的な愛「[1]」を達成しようとした。

▶**孟子**は，人は「[2]」の芽生えの心である四端(したん)を先天的に備えその**性**は**善**であるとする[3]をとなえた。

▶**墨子**(ぼくし)は，[4]を主張し，**博愛**とそれゆえの非攻，侵略戦争の否定を中心とする。

▶**老子**は，宇宙の根源であるとする[5]を中心にした思想をとなえた。この[6]に従った**無為自然**の生き方と自給自足的な小国を理想とした。

▶**荘子**は，**老子**の教えを受け継ぎ，他の人々が束縛されている相対的価値を否定し，無心の世界で絶対的自由に生きる[7]の境地を求めた。

▶**玄奘**(げんじょう)は，唐代初期の大翻訳家。法相宗(ほっそうしゅう)，倶舎宗(くしゃしゅう)の祖。仏典と戒律との疑問点を原典について究めようと[8]に入り，仏典翻訳に従事した。

▶**朱子**は，伝統的文化に対する批判と新しい解釈を行い，儒学哲学の体系づけを行って，[9]学として大成した。

▶**王陽明**は，**朱子学**によって固定化された儒学にあきたらず，実践的学問を大成した。**主知主義**的な**朱子学**に対し，**主観主義**的な[10]学をたてた。

▶**李鴻章**(りこうしょう)は，太平天国の乱の鎮圧，アヘン戦争を通じ，洋式の軍事工業を中心とした近代工業の育成に努め，[11]運動の先駆者となった。

▶**孫文**は，「[12]，[13]，[14]」の**三民主義**をとなえ，清を倒し，漢民族の独立を達成しようとした。

▶**魯迅**(ろじん)は，ヨーロッパの近代思想の影響を受けて，儒教的伝統思想に対して，革新思想の普及をはかるという[15]革命を進めた。

▶**毛沢東**は，[16]主義を軸として，中国革命を推進し，新民主主義をとなえて民衆の支持を得，半植民地状態にあった中国の民族独立を達成した。

1. 仁
2. 仁義礼智
3. 性善説
4. 無差別愛（兼愛）
5. 道
6. 道
7. 逍遥遊(しょうようゆう)
8. インド
9. 朱子
10. 陽明
11. 洋務
12. 民族主義
13. 民権主義
14. 民生主義
15. 文学
16. マルクス＝レーニン

3 西洋思想

重要度
B

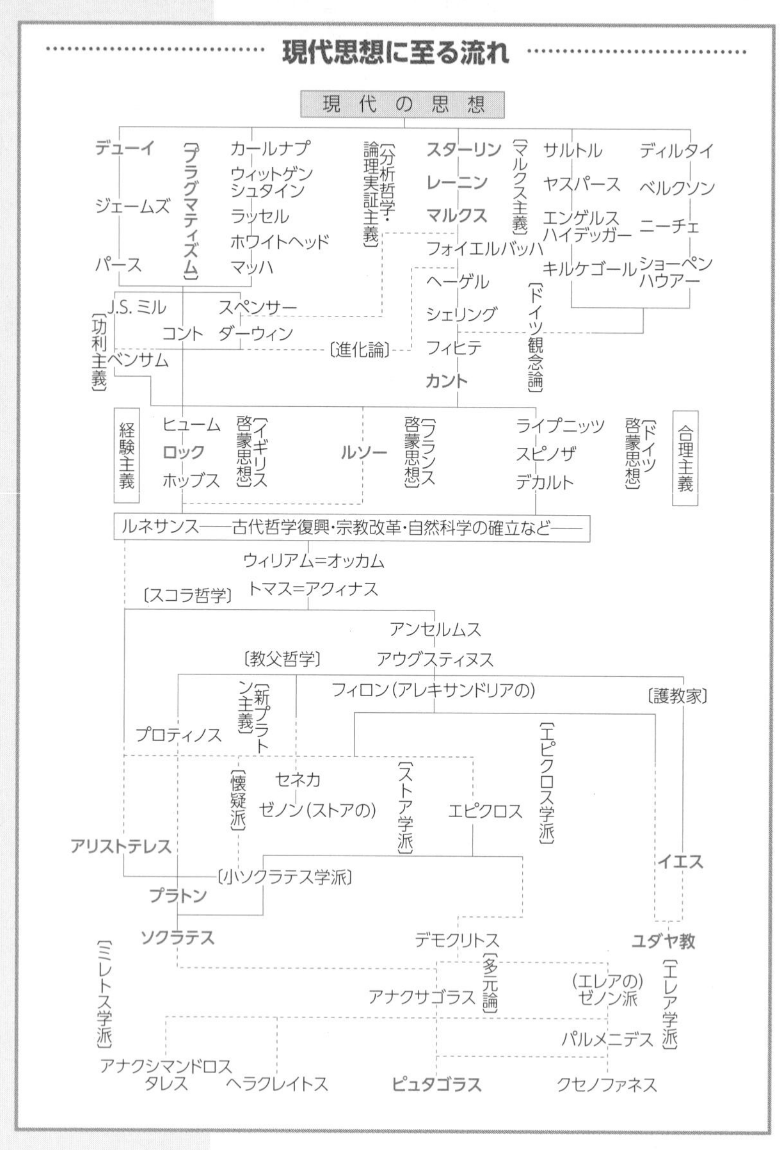
現代思想に至る流れ
現代の思想
デューイ
ジェームズ
パース
〔プラグマティズム〕
カールナプ
ウィットゲンシュタイン
ラッセル
ホワイトヘッド
マッハ
〔分析哲学・論理実証主義〕
スターリン
レーニン
マルクス
〔マルクス主義〕
フォイエルバッハ
ヘーゲル
シェリング
フィヒテ
カント
〔ドイツ観念論〕
サルトル
ヤスパース
エンゲルス
ハイデッガー
キルケゴール
ディルタイ
ベルクソン
ニーチェ
ショーペンハウアー
J.S.ミル
コント
スペンサー
ダーウィン
〔進化論〕
〔功利主義〕
ベンサム
経験主義
ヒューム
ロック
ホッブス
〔イギリス啓蒙思想〕
ルソー
〔フランス啓蒙思想〕
ライプニッツ
スピノザ
デカルト
〔ドイツ啓蒙思想〕
合理主義
ルネサンス——古代哲学復興・宗教改革・自然科学の確立など——
ウィリアム=オッカム
トマス=アクィナス
〔スコラ哲学〕
アンセルムス
アウグスティヌス
〔教父哲学〕
フィロン(アレキサンドリアの)
〔護教家〕
〔新プラトン主義〕
プロティノス
〔エピクロス学派〕
〔懐疑派〕
セネカ
ゼノン(ストアの)
〔ストア学派〕
エピクロス
アリストテレス
〔小ソクラテス学派〕
プラトン
イエス
ソクラテス
デモクリトス
ユダヤ教
〔ミレトス学派〕
〔多元論〕
アナクサゴラス
(エレアの)ゼノン派
〔エレア学派〕
パルメニデス
アナクシマンドロス
タレス
ヘラクレイトス
ピュタゴラス
クセノファネス

●**西洋の思想家**

▶**ソクラテス**は[1]の急務を説き，真実で客観的な唯一の知識を与えようと努力した。「[2]を知れ」の言葉が有名である。

▶**アリストテレス**は習性的な徳の重要性を認め，[3]主義的な倫理思想を展開した。**自然科学**の分野でも大きな業績を残している。

▶カトリック教会と[4]哲学を融合し，神学の権威を確立した**トマス＝アクィナス**は教会の立場から学芸を総合し，[5]哲学の最高峰を成した。

▶「**我思う，故に我あり**」の言葉で有名な[6]は，人間が生まれながらにしてもっている**理性**のみを信頼する理性論をとなえた。

▶**ルソー**は代表的著書『[7]』の中で「[8]に帰れ」と主張しているように，理知よりも**人間本来の自然**な感情を重んじた。

▶**ロック**は人間の心を[9]にたとえて，すべての知識は**経験**によって得られるとして，**経験論**を徹底させた。

▶「**最大多数の最大幸福**」をとなえた[10]は，[11]主義の立場から民主政治を最良の形態とし，個人の自由を尊重して，政府・国家の統制が少なければ少ないほどよいと主張した。

▶**コント**は自然科学の方法を応用して[12]学を創始した。学問の進歩を神学的，形而上的，[13]的の３段階に分け，[14]主義をとなえた。

▶**ダーウィン**は『[15]』を著して，**生存競争**と**自然淘汰**の理論を実証的に展開し，**進化論**を構築した。広く思想界にも影響を与えた。

▶[16]は自由な決断による自己拘束と社会参加とを「アンガージュマン」とよび，自由と責任の問題を問うた。「[17]主義はヒューマニズムである」という言葉が有名。

▶**ニーチェ**は資本主義の行き詰まりを反映し，市民的俗物性を攻撃し，個性を尊び，[18]教と**近代文明**は低俗化したと主張した。

▶**レーニン**は**マルクス主義**を学び，『[19]』を著し

1. 知徳合一
2. 汝自身
3. 経験
4. アリストテレス
5. スコラ
6. デカルト
7. 社会契約論
8. 自然
9. 白紙（タブラ・ラサ）
10. ベンサム
11. 功利
12. 社会
13. 実証
14. 実証
15. 種の起源
16. サルトル
17. 実存
18. キリスト
19. 帝国主義論

20. ロシア

21. プラグマティズム

22. ソフィスト

23. プラトン

24. 告白録

て，[20]革命の指導的役割を果たした。

▶**デューイ**は真理の標準が，実際的な生活にどれだけの効果を与えたかによるべきだとする[21]（実用主義）をとなえた。

▶[22]とは，「知恵あるもの」を意味し，各種の知識を青年たちに教える職業教師集団である。**アテネ**を本拠にしながら，報酬を得つつ，**ポリス**（都市国家）から**ポリス**へと渡り歩いた。問題の出発を人間からとしたが，後には，真理・道徳の探究よりは，処世術を教授するにとどまったといわれる。

▶**ソクラテス**の弟子[23]は，師の残した課題を受け止め，哲人政治の思想を形成し，その思想は大著**『国家論』**に編まれる。師ソクラテスの母親の産婆の術が，教育論として哲学的に考察される事態・様相も，**『国家論』**に看取される。**アカデミア**を創設した。

▶**アウグスティヌス**は，中世最大の教父哲学者で，異教（マニ教）を経て回心し，カトリック教会教義の確立に寄与した。自伝的著作で，魂の遍歴書といわれる『[24]』は有名。

4 世界の名言

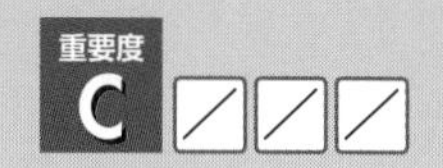

◇次の言葉を残した人物名を答えなさい。

〔B.C. 8世紀〕

(1) **労働**が恥ではない。**怠惰**こそ恥である — (1)ヘシオドス

〔B.C. 6世紀〕

(2) **剣**は利しといえども，とがざれば断れず，**材**は美しといえども学ばざれば高からず — (2)孔子

〔B.C. 5世紀〕

(3) **万物**の尺度は**人間**である — (3)プロタゴラス

〔B.C. 5～4世紀〕

(4) 人は**食べる**ために生きるが，私は**生きる**ために食べる — (4)ソクラテス

(5) 陪審員に嘆願すること，あるいは，嘆願して放免してもらうことは正しいことではないと私は思う。むしろ，教え知らせ，説得すべきである — (5)プラトン

〔B.C. 4世紀〕

(6) **国家**の運命はかかって**青年**の**教育**にあり — (6)アリストテレス

〔12世紀〕

(7) **少年**老い易く，**学**成り難し — (7)朱子

〔12～13世紀〕

(8) あすありと思う心のあだ桜よわにあらしの吹かぬものかは — (8)親鸞（しんらん）

〔13世紀〕

(9) **知識**は力なり — (9)フランシス＝ベーコン

〔14～15世紀〕

(10) **初心**忘るべからず — (10)世阿弥元清

〔15～16世紀〕

(11) しかし，これだけが人々に盗みをはたらかせる唯一の原因ではありません。私の考えるところでは，もう一つ，あなた方イギリス人に特有の原因があります。……羊が人間を食い殺している — (11)トマス＝モア

〔16世紀〕

(12) なせば成るなさねばならぬ成るわざを成らぬと捨 — (12)武田信玄

5 倫理

つる人のはかなき

〔16～17世紀〕

⑬ホッブズ

⑬　人々は，かれらすべてをおそれさせる共通の権力がない間は**戦争**とよばれる状態，各人の各人に対する**戦争**状態にある

⑭デカルト

⑭　**我**思う，故に**我**あり

〔17世紀〕

⑮パスカル

⑮　人間は考える**葦**である

⑯ミルトン

⑯　言論の**自由**を殺すのは，**真理**を殺すことである

〔17～18世紀〕

⑰ジョン＝ロック

⑰　**読書**は単に知識の材料を供給するのみ，それを自家のものとなすは**思索**の力なり

〔18世紀〕

⑱フランクリン

⑱　時は**金**なり。**今日**なし得ることは**明日**に延ばすことなかれ

⑲カント

⑲　わが上なる**星空**とわがうちなる**道徳律**

⑳ベンサム

⑳　**最大**多数の**最大**幸福

〔19世紀〕

㉑エマーソン

㉑　自信は**成功**の第一義なり

㉒ロングフェロー

㉒　**青春**は人生にたった一度しか来ない

㉓リンカン

㉓　40歳を過ぎた人間は自分の**顔**に責任をもたねばならぬ

㉔リンカン

㉔　**人民**の**人民**による**人民**のための政治

㉕クラーク

㉕　少年よ**大志**を抱け

㉖孫文

㉖　余が考えるに，欧米諸国の進化は，すべて三大主義にもとづいている。**民族**，**民権**，**民生**というのがそれである

㉗レーニン

㉗　リヴォフ一派の新しい政府のもとでも，この政府のもとでも，この政府が資本家的な性格をもっているために，ロシアにとって現在の戦争は，依然として無条件に掠奪的**帝国主義**戦争である……

㉘エジソン

㉘　天才とは１パーセントの**霊感**と99パーセントの**発汗**である

〔19～20世紀〕

㉙福沢諭吉

㉙　天は人の上に人を造らず，人の下に人を造らず

6

芸　術

1 西洋美術史

西洋美術の潮流

時期	文化名	建築・都市等	絵画・彫刻等
B.C.8～4C	ギリシア古典文化	**パルテノン神殿**（ギ）	
B.C.4～1C	ヘレニズム文化	アレクサンドリア	**ミロのヴィーナス**
8～9C	ビザンティン文化	**アギア・ソフィア大聖堂**(トルコ)**サン=マルコ寺院**(伊)	モザイク画
11～12C	ロマネスク式	ピサ大聖堂（伊） ヴォルムス大聖堂（独）	
12～13C	ゴシック式	**ノートルダム大聖堂**（仏） アミアン大聖堂（仏） **ケルン大聖堂**（独）	ステンドグラス
14～16C	ルネサンス	**サン=ピエトロ大聖堂**（伊）	ダヴィデ像・最後の審判（**ミケランジェロ**） モナ=リザ・最後の晩餐（**レオナルド=ダ=ヴィンチ**）
17C	バロック式	**ヴェルサイユ宮殿**（仏）	ルーベンス レンブラント
18C	ロココ式	サン=スーシ寺院（独）	ゴヤ

1. パルテノン
2. イオニア
3. コリント
4. ドーリア
5. ノートルダム
6. ケルン
7. ミラノ
8. ボッティチェッリ
9. 最後の晩餐
10. ミケランジェロ
11. ラファエロ
12. エル=グレコ

▶**ギリシア**古典文化は，大理石を用いた建築，彫刻が特色。アテネの[1]神殿が代表的。柱は様式により，[2]，[3]，[4]に分かれる。

▶**ゴシック**建築で有名なのは，パリの[5]大聖堂，ドイツの[6]大聖堂，イタリアの[7]大聖堂などである。

▶**ルネサンス**の代表的絵画，彫刻には[8]の「ヴィーナスの誕生」「春」，レオナルド=ダ=ヴィンチの「[9]」，[10]の「**ダヴィデ像**」「**最後の審判**」，[11]の「グランドゥカのマドンナ」「小椅子の聖母」などがある。

▶**バロック**の代表的人物には，「聖家族」の[12]，宮廷画家の[13]，光の画家とよばれ「夜警」などの作品がある[14]，「三美神」などの動的表現で豪華な肉体を表現した[15]などがいる。

▶**ロココ**の代表的画家には，「裸のマハ」などのスペインの宮廷画家[16]がいる。

▶理想美を追求した新古典主義絵画の画家には，「泉」の[17]や「ナポレオンとジョゼフィーヌの戴冠式」の[18]などがいる。

▶劇的で動きが激しい**ロマン主義**の画家には，「民衆を率いる自由の女神」「キオス島の虐殺」の[19]，「メデュース号の筏」の[20]などがいる。

▶[21]派は，**自然主義**ともよばれ，自然の風物を素直に表現した。代表的画家には「晩鐘」「**落穂拾い**」の[22]，「真珠の女」の[23]などである。

▶**レアリスム**（**写実主義**）は，鋭い洞察，観察で自然などを表現。社会，生活へ目を向けた。「三等列車」の[24]，「石割り」の[25]などが有名である。

▶**印象派**は，光のあたり具合で物体は違った色に見えると主張。「草上の昼食」の[26]，「印象一日の出一」「睡蓮」の[27]，「舞台の踊り子」の[28]，「ムーラン・ド・ラ・ガレットの舞踏会」など明るい色彩の[29]などがいる。

▶**ポスト**（**後期**）**印象派**は，もっと物の本質を表現しようとした。「水浴」「サント・ヴィクトワール山」などの[30]は『自然は球，円筒形，円錐形によって処理しなければならない』と主張。ほかには，燃えあがるようなタッチで「ひまわり」などを描いた[31]や「タヒチの女」の[32]などがいる。

▶象徴主義は，内面的世界，愛，死などを描いた。「叫び」の[33]が有名。

▶**キュビスム**（**立体派**）は自然を分解し，面で再構成した。「**ゲルニカ**」の[34]などがいる。

13. ベラスケス
14. レンブラント
15. ルーベンス
16. ゴヤ
17. アングル
18. ダヴィッド
19. ドラクロワ
20. ジェリコー
21. バルビゾン
22. ミレー
23. コロー
24. ドーミエ
25. クールベ
26. マネ
27. モネ
28. ドガ
29. ルノワール
30. セザンヌ
31. ゴッホ
32. ゴーギャン（ゴーガン）
33. ムンク
34. ピカソ

2 日本美術史

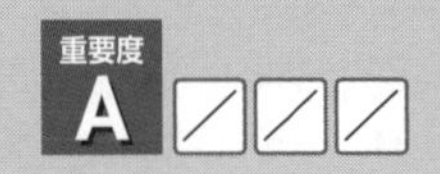

日本美術の潮流

文化名	建　築	絵画・彫刻等
飛　鳥	飛鳥寺，法隆寺	法隆寺金堂釈迦三尊像 法隆寺百済観音像
白　鳳	薬師寺	法隆寺金堂壁画 高松塚古墳壁画 薬師寺金堂薬師三尊像
天　平	東大寺，国分寺 国分尼寺 唐招提寺（とうしょうだいじ）	唐招提寺鑑真像 東大寺法華堂日光・月光菩薩像 正倉院鳥毛立女屏風（しょうそういんとりげりつじょのびょうぶ）
国　風	平等院鳳凰堂（びょうどういんほうおうどう）	平等院鳳凰堂阿弥陀如来像 大和絵，蒔絵
鎌　倉	東大寺南大門 円覚寺舎利殿（えんがくじしゃりでん）	東大寺南大門金剛力士像 似絵（にせえ）
室　町	鹿苑寺（ろくおんじ）金閣 慈照寺（じしょうじ）銀閣	水墨画 能，茶道，花道 枯山水
(安土･) 桃　山	大坂城，姫路城	障壁画，濃絵 唐獅子図屏風（からじしずびょうぶ）
寛　永 元　禄	桂離宮（かつらりきゅう） 日光東照宮	紅白梅図屏風 燕子花図屏風（かきつばたずびょうぶ） 見返り美人図
化　政		富嶽三十六景 東海道五十三次 十便十宜図 浮世絵
明　治	鹿鳴館，東京駅	湖畔，海の幸 老猿，坑夫
大　正		生々流転 桜島

▶6世紀に大陸より**仏教**が伝えられ，[1]を中心に大陸風の寺院が貴族，豪族によって造立された。代表的なものとして**蘇我氏**発願の[2]，**厩戸王**（うまやとおう）（**聖徳太子**）発願といわれる[3]がある。

▶摂関政治のころ，大陸文化を吸収，消化して，日本独特のものがみられるようになった。貴族の住宅として[4]造という形式が発達した。絵画では，唐絵（からえ）にかわって巨勢金岡（こせのかなおか）などにより[5]が描かれた。また，この時代の仏像は，仏師**定朝**（じょうちょう）にみられるように[6]の手法でつくられた。

▶**鎌倉時代**の建築の形式では，日本的な柔らかな美しさを特色とする[7]のほか，新たに[8]，禅宗様（唐様（からよう））が大陸から伝えられ，[9]は東大寺再建のため，重源（ちょうげん）によって用いられた。また中期には[10]と新様式の一部を取り入れた[11]が生まれた。

▶室町時代の絵画では，宋，元から[12]が伝えられ，**雪舟**によって大成された。その代表作に[13]がある。

▶**安土・桃山時代**の建築では[14]。殿舎を飾る[15]が盛んになった。絵画では，「**洛中洛外図屏風**」が代表作である[16]とその門人[17]，**長谷川等伯**などが中心となった。

▶**元禄時代**の絵画では[18]の影響をうけた[19]が「**紅白梅図屏風**」などの作品を残している。また浮世絵が庶民に愛好され，「**見返り美人図**」で有名な[20]は，版画浮世絵の祖とされている。

▶**明治時代**の絵画では「**悲母観音**」の[21]，「竜虎図」の[22]らによって新しい傾向の日本画が創造された。建築では**ニコライ堂**の[23]，**赤坂離宮**の[24]などが西洋建築の様式を用いた。

▶**大正時代**，日本画では「**生々流転**」の[25]が日本美術院を再興した。洋画では「**金蓉**」の[26]，「桜島」の[27]が二科会をつくり，また「**麗子像**」の[28]が興した**春陽会**が注目された。

1. 飛鳥（あすか）
2. 法興寺（飛鳥寺（あすかでら））
3. 法隆寺（斑鳩寺（いかるがでら））
4. 寝殿
5. 大和絵
6. 寄木造（よせぎづくり）
7. 和様
8. 大仏様（天竺様（てんじくよう））
9. 大仏様
10. 和様
11. 折衷様（新和様）
12. 水墨画
13. 山水長巻（四季山水図巻）
14. 城郭
15. 欄間彫刻（らんまちょうこく）
16. 狩野永徳
17. 狩野山楽
18. 俵屋宗達（たわらやそうたつ）
19. 尾形光琳（おがたこうりん）
20. 菱川師宣（ひしかわもろのぶ）
21. 狩野芳崖（かのうほうがい）
22. 橋本雅邦（はしもとがほう）
23. コンドル
24. 片山東熊（かたやまとうくま）
25. 横山大観
26. 安井曾太郎（やすいそうたろう）
27. 梅原龍三郎
28. 岸田劉生

3 西洋音楽史

1. ヴィバルディ
2. バッハ
3. ヘンデル
4. ハイドン
5. モーツァルト
6. ベートーヴェン
7. ウェーバー
8. ロッシーニ
9. シューベルト
10. メンデルスゾーン
11. ショパン

▶**ルネサンス**（15世紀半ば～16世紀末頃）

従来の教会音楽に対位法を用いた人間性豊かな作品が生まれる。一方，イタリアのマドリガーレ，フランスのシャンソンなどの世俗的合唱曲も盛んにつくられた。

▶**バロック**（1600～1750年）

声楽の補助だった器楽が発達，独立した。オペラ，オラトリオのような劇音楽も。

[1]〔イタリア〕……バイオリン協奏曲「**四季**」
[2]〔ドイツ〕……音楽の父「**小フーガト短調**」
[3]〔ドイツ〕……音楽の母「**水上の音楽**」

▶**古典派**（1750～1820年）

当時の啓蒙思潮の合理主義精神を受け，理性，客観性を重んじている。楽曲の様式が変わり，**ソナタ**，**室内楽曲**，**交響曲**，**協奏曲**などの楽曲がつくられた。また管弦楽編成が整えられた。

[4]〔オーストリア〕……交響曲の父　弦楽四重奏「皇帝」　交響曲「驚愕」「時計」
[5]〔オーストリア〕……音楽の神童　交響曲「ジュピター」　歌劇「**フィガロの結婚**」「魔笛」
[6]〔ドイツ〕……楽聖　交響曲「**英雄**」「**運命**」「田園」，ピアノソナタ「月光」「悲愴」

▶**ロマン派**（前期・1800～1850年頃）

フランス革命で起こった自由主義の影響を受け主観性が重んじられた。**歌曲**，**器楽曲**などが重視され，管弦楽編成が拡大された。

[7]〔ドイツ〕……ドイツ国民歌劇の創始者　歌劇「**魔弾の射手**」
[8]〔イタリア〕……イタリア近代歌劇の先駆者　歌劇「**ウィリアム・テル**」「セビリアの理髪師」
[9]〔オーストリア〕……歌曲の王　歌曲「**魔王**」「ます」「冬の旅」，セレナード
[10]〔ドイツ〕……「**真夏の夜の夢**」
[11]〔ポーランド〕……ピアノの詩人　「雨だれ」

「**別れの曲**」

[12]〔ドイツ〕……ロマン派の大作曲家　「**謝肉祭**」「流浪の民」「トロイメライ」

▶**ロマン派**（後期・1850年頃～1900年）

前期ロマン派がさまざまに分派していった。また，各国の民族意識が高まり，国民楽派が登場した。

[13]〔ハンガリー〕……交響詩曲の始祖　ピアノの魔術師　「**ハンガリー狂詩曲**」「ラ・カンパネラ」

[14]〔ドイツ〕……歌劇の王　楽劇の創始者　歌劇「タンホイザー」「ニーベルングの指輪」

[15]〔オーストリア〕……ワルツ王　ワルツ「**美しく青きドナウ**」「皇帝円舞曲」

[16]〔アメリカ〕……アメリカ民謡の父　「**主人は冷たい土の中に**」「オールドブラックジョー」

[17]〔ドイツ〕……新古典派　「ハンガリー舞曲」

[18]〔フランス〕……「動物の謝肉祭」「白鳥」

[19]〔フランス〕……フランス近代歌劇　組曲「**アルルの女**」，歌劇「**カルメン**」

[20]〔ロシア〕……ロシア国民楽派　「**展覧会の絵**」「禿山の一夜」

[21]〔ロシア〕……交響曲「悲愴」，バレエ組曲「**白鳥の湖**」「**くるみ割り人形**」

[22]〔チェコ〕……チェコの国民楽派　弦楽四重奏曲「アメリカ」交響曲「**新世界より**」

[23]〔チェコ〕……チェコの国民楽派　交響詩「**わが祖国**」（モルダウ），歌劇「売られた花嫁」

[24]〔ノルウェー〕……組曲「ペールギュント」

▶近代・現代

19世紀末～20世紀

印象主義……フランスの印象派絵画や象徴派文学の影響を受けている。

[25]〔フランス〕……印象主義音楽の確立者　「海」「子供の領分」

[26]〔フランス〕……バレエ音楽「ダフニスとクロエ」，管弦楽曲「**ボレロ**」

12. シューマン
13. リスト
14. ワーグナー
15. J.シュトラウスⅡ世
16. フォスター
17. ブラームス
18. サン=サーンス
19. ビゼー
20. ムソルグスキー
21. チャイコフスキー
22. ドヴォルザーク
23. スメタナ
24. グリーグ
25. ドビュッシー
26. ラヴェル

27. ストラヴィンスキー
28. バルトーク

原始主義

[27]〔ロシア〕……バレエ音楽「**火の鳥**」

民族主義

[28]〔ハンガリー〕……国民的なハンガリー音楽の創始者　管弦楽曲「管弦楽のための協奏曲」

4 日本音楽史

重要度 A ／ ／ ／

▶王朝時代（奈良・平安）

[1]……⑴神楽歌，久米歌，大和歌，東遊（歌）など。⑵狭義の雅楽。管絃，舞楽：左方（中国系），右方（朝鮮系）の外来音楽を日本化したもの。⑶当時の民謡などが貴族社会で洗練された[2]。また，貴族社会で生まれた漢詩文の歌唱[3]など。

[4]……仏教の経典を朗唱する宗教音楽で起源は[5]。梵讃・漢讃に対して日本語の[6]など。

▶武家時代（鎌倉～桃山）

[7]……平家物語を琵琶の伴奏で語る音楽。室町時代に隆盛。盲人の専業とされた。

[8]……農民の儀式から発達した芸能。

[9]……奈良時代に中国伝来の散楽をもとに発展。

[10]……[11]，[12]などの要素をとり入れて，観阿弥，世阿弥父子によって大成された。

▶江戸時代

[13]……人形劇と結びついて発達。竹本義太夫による義太夫節が現れる。

[14]……歌舞伎音楽として発生した。

[15]……北九州の筑紫箏をもとにして八橋検校が現在の基礎をつくった。

[16]……普化宗の僧，虚無僧が読経の代わりに吹いた。黒沢琴古によって琴古流がおこった。

▶明治以降

[17]……宮城道雄が中心。箏曲母体の新しい音楽。

[18]……「花」「荒城の月」「箱根八里」など。

[19]……「春の海」「水の変態」などを作曲。

[20]……「砂山」「てるてる坊主」「波浮の港」など。

[21]……「この道」「赤とんぼ」「待ちぼうけ」「からたちの花」など。日本交響楽協会を育成。

[22]……「浜辺の歌」などを作曲。

[23]……「早春賦」などを作曲。

[24]……「夏の思い出」などを作曲。

1. 雅楽
2. 催馬楽
3. 朗詠
4. 声明
5. インド
6. 和讃
7. 平曲
8. 田楽
9. 猿楽
10. 能楽
11. 田楽
12. 猿楽
13. 浄瑠璃
14. 長唄
15. 箏曲
16. 尺八音楽
17. 新日本音楽
18. 滝廉太郎
19. 宮城道雄
20. 中山晋平
21. 山田耕筰
22. 成田為三
23. 中田章
24. 中田喜直

25. 三浦 環（みうらたまき）

25 ……オペラ歌手「蝶々夫人」が有名。

7
英　語

1 第1文型

◉主語＋述語動詞（略：主＋動＝S＋V）

1．He died.
2．Dogs bark.
3．Time flies.
4．A cat cannot speak.
5．There is nothing new under the sun.

◇次の各空所内に適語を補いなさい。

▶There [1] a teacher of English.（1人の英語の教師がやってきた。）

▶It [2] all day.（終日雨が降った。）

▶He [3] (for) five miles yesterday.（昨日彼は5マイル歩いた。）

▶We all [4], eat and drink.（我々は皆，呼吸し，また飲食する。）

▶This knife does not [5] well.（このナイフは切れ味がよくない。）

▶The committee [6] of ten members.（その委員会は10人の議員から成る。）

▶The baby can't [7] yet.（赤ん坊はまだ数が数えられない。）

▶The population has [8] by 200,000 to 60,000,000.（人口は20万増えて6千万となった。）

▶The children are [9] in the park.（子供たちは公園で遊んでいる。）

▶There once [10] a very thriving silk merchant in this neighborhood.（昔この近所に，とても羽振りのいい生糸商人が住んでいた。）

▶The tree [11] well.（あの木はよく実がなる。）

1. came
2. rained
3. walked
4. breathe
5. cut
6. consists
7. count
8. increased
9. playing
10. lived
11. fruits

2 第2文型

重要度 A ／／／

⊙主語＋述語動詞＋主補語（略：主＋動＋補＝S＋V＋S C）

1．He is happy.
2．He seems happy.
3．This is mine.
4．He is a teacher.
5．It is getting dark.

◇次の各空所に入れる最適の語を，be，turn，smell，remain，become，seem，act，keep，feel，go の中から選び，適切なかたちにして補いなさい。（複数回使用可）

▶In autumn leaves [1] red.（秋になると木の葉は紅葉する。）

▶She [2] silent.（彼女はずっと黙っていた。）

▶I [3] unwell.（私は気分がすぐれない。）

▶This [4] a father's love of his son.（これが息子を思う父親の愛情というものだ。）

▶She [5] a good teacher of English.（彼女は英語をうまく教える教師になった。）

▶He [6] a happy student.（彼は幸福な学生のようにみえる。）

▶He [7] as interpreter.（彼は通訳を務めた。）

▶[8] cool.（冷静にしていなさい〈そわそわしなさんな〉。）

▶He looked pale.（彼は顔色が悪かった。）

▶This flower [9] sweet.（この花はいい香りがする。）

▶Fish soon [10] bad in hot weather.（暑い時には魚はすぐ悪くなる〈腐る〉。）

▶He [11] to be happy.（彼は幸福であるように見える。）

1. turn
2. remained
3. feel
4. is
5. became
6. seems
7. acted
8. Keep
9. smells
10. goes
11. seems

3 第3文型

⦿主語＋述語動詞＋目的語（略：主＋動＋目＝S＋V＋O）

1．Everybody loves her.
2．I bought the book yesterday.
3．He put on his hat.
4．He wants to see you.
5．I don't know what to do.
6．He stopped smoking.（彼は，たばこを吸うのを止めた。）
（注意　He stopped to smoke. 彼は，立ち止まってたばこを吸った。）
7．You must begin reading this book.（君はこの本を読み始めなさい。）
8．You must begin to read this book.（君はこの本を読み始めなさい。）
9．He said that he would go himself.
10．Do you know how old he is？（彼が何歳だか君は知っているか？）

◇空所内に，like，cut，knock，suggest，forget，try，know，mind，careから最適の語を選び適切な形にして補いなさい。

▶He [1] his finger with a knife.（彼はナイフで指を切った。）

▶The car [2] her down.（その車は彼女をはねとばした。）

▶Tom [3] to post the letter.（トムはその手紙を投函するのを忘れた。）

▶I [4] to do my best.（最善を尽くそうとした。）

▶I don't [5] when to teach.（いつ教えればよいのか私には分からない。）

▶She [6] swimming in summer.（彼女は夏泳ぐのが好きだ。）

▶I don't [7] your smoking here.（私は，ここであなたがたばこを吸っても構わない。）

▶He [8] that we should start early.（我々は早めに出発すべきだと彼は提案した。）

▶I don't [9] what anybody think.（だれが何と思おうと私は平気だ。）

1. cut
2. knocked
3. forgot
4. tried
5. know
6. likes
7. mind
8. suggested
9. care

4 第4文型

⊙主語＋述語動詞＋間接目的語＋直接目的語（略：主＋動＋間目＋直目＝S＋V＋IO＋DO）

1．She gave them the apples.
2．Tell me the story of his death.
3．I told him that he was mistaken.
4．He teaches me how to think.
5．He promised me that she would be here at ten o'clock.
6．Tell me what it is.

◇各空所に，do，pass，buy，bring，give，ask，show，sell，lendの中から最適な語を選び，適切な形にして補いなさい。（複数回使用可）

▶This book [1] you how to make sentences.

▶Bad books [2] us great harm.（害を与える。）

▶He [3] her a handbag.（彼は彼女にハンドバッグを買ってやった。）

▶The student teacher [4] his old teacher a chair.（その教育実習生は，彼の恩師に椅子をもってきた。）

▶An American [5] me the way in America.（アメリカでアメリカ人が私に道を尋ねたのだ。）

▶My wife never [6] me this album.（私の妻は，このアルバムを決して私に見せないのだ。）

▶Will you [7] me the salt？（すみません，私にその塩をとってくださいませんか。）

▶Please [8] me this book at half price.（この本を半値で売ってください。）

▶Well, I will [9] you five minutes' leave.（それじゃ，5分間の猶予をあげよう。）

▶Will you [10] me your paper if you are through with it？ Something is written in it about me.（もし読み終えたならその新聞を貸してくださいませんか。私のことが載っていますので。）

1. shows
2. do
3. bought
4. brought
5. asked
6. shows
7. pass
8. sell
9. give
10. lend

5 第5文型

⦿主語＋述語動詞＋目的語＋目的補語（略：主＋動＋目＋目補＝S＋V＋O＋OC）

1．The sun makes us warm.
2．She called him fool.
3．They elected him boss.
4．She told me to shut the door.
5．His father will make him a teacher.
6．What makes you think so ?

◇各空所に，paint，leave，find，boil，hear，see，feel，keep，allow，think，likeの中から最適な語を選び，適切な形にして補いなさい。（複数回使用可）

▶I [1] the door red.（私はドアを赤に塗った。）

▶I don't [2] him coming so often and at mealtime. What a impudent fellow he is !（私は彼にこんなにたびたび，しかも食事時に来られるのは好まない。ずうずうしいったらない。）

▶I [3] the box empty.（私はその箱が空だと分かった。）

▶I [4] the box to be empty.（私はその箱が空であるということが分かった。）

▶She [5] the eggs hard.（彼女はその卵をかたくゆでた。）

▶I [6] my name called.（私は自分の名前が呼ばれるのを耳にした。）

▶I don't [7] what he says of great importance. He is a faultfinding fellow.（私は彼の言うことなどたいして重要だとは思わない。人のあらばかりさがす男だから。）

▶We mustn't [8] them waiting.（我々は彼等を待たせてはいけない。）

▶She [9] her heart beat wildly.（彼女は自分の心臓が激しく鼓動するのを感じた。）

1. painted
2. like
3. found
4. found
5. boiled
6. heard
7. think
8. keep
9. felt

6 略号・標識

1.	ONE WAY	一方通行
2.	WAY OUT	出　口
3.	GO SLOW	徐　行
4.	FOR SALE	売りもの
5.	SOLD OUT	売り切れ
6.	KEEP OFF	立入禁止
7.	WRONG WAY	進入禁止
8.	WET PAINT	ペンキ塗りたて
9.	NOT IN USE	使用禁止
10.	NO SMOKING	禁　煙
11.	WE ARE OPEN	営業中/開店中
12.	HOUSE TO LET	貸　家
13.	OUT OF ORDER	故　障
14.	ONE SIDE ONLY	片側通行
15.	UNDER CONSTRUCTION	工事中

▶略用語

◇次の略号を日本語にすると何というか，答えなさい。

①OPEC	Organization of Petroleum Exporting Countries	① 石油輸出国機構
②WTO	World Trade Organization	② 世界貿易機関
③OECD	Organization for Economic Cooperation and Development	③ 経済協力開発機構
④ASEAN	Association of Southeast Asian Nations	④ 東南アジア諸国連合
⑤EU	European Union	⑤ ヨーロッパ連合
⑥GDP	Gross Domestic Product	⑥ 国内総生産
⑦FAO	Food and Agricultural Organization of the United Nations	⑦ 国連食糧農業機関
⑧FTA	Free Trade Area	⑧ 自由貿易圏
⑨NATO	North Atlantic Treaty Organization	⑨ 北大西洋条約機構

7 同意異型文章書き換え

重要度 A

1. Joe is a very good swimmer.
   Joe swims very well.
2. He lives a long way from the city.
   He lives far from the city.
3. The boy is a very fast runner.
   What a fast runner the boy is !
4. The boy runs very fast.
   How fast the boy runs !
5. Kate sings best of all the girls in her class.
   Kate sings better than any other girl in her class.
6. Tom ran as fast as possible.
   Tom ran as fast as he could.

◇各組の文が同じ意味になるように空所内に適語を補いなさい。（13. と20. はそれぞれ２語入る）

There are seven days in a week.
A week [1] seven days.

1. has

I came here when I was a child and I'm still here.
I have been here [2] I was a child.

2. since

It [3] three years since we came to Tokyo.
Three years have passed since we came to Tokyo.（東京に来てから３年たちました。）

3. is

[4] serve coffee at breakfast.
Coffee is served at breakfast.

4. They

Ken bought a yacht which was painted white.
Ken bought a yacht [5] white.

5. painted

Look at the baby who is sleeping on the bed.
Look at the baby [6] on the bed.

6. sleeping

The mountain which is covered with snow is Mt. Fuji.
The mountain [7] with snow is Mt. Fuji.

7. covered

It is so kind [8] you to help me.
Thank you very much for helping me.

8. of

Taro was [9] old that he couldn't climb the mountain.
Taro was too old to climb the mountain.

9. so

My hobby is [10] Japanese dolls.
My hobby is to make Japanese dolls.

10. making

Tom went out, but he said nothing（トムは何も言わずに出てきた。）
Tom went out [11] saying anything.

11. without

To speak French is difficult.
[12] is difficult to speak French.

12. It

Tom left his house.
Tom went [13] his house.

13. out of

It is a lot of fun to keep birds.
[14] birds is a lot of fun.

14. Keeping

Nancy liked cooking.
Nancy was fond [15] cooking.

15. of

Jack is fond [16] riding a horse.
Jack likes [17] ride a horse.

16. of
17. to

Run fast, and you will be able to catch the train.
You will be able to catch the train [18] you run fast.

18. if

My sister can skate [19] than I.
I cannot skate as well as my sister.

19. better

It is hard [20] to read this book.
She can't read this book easily.

20. for her

Taro got up very late this morning and he ran to school.
Taro got up [21] late this morning [22] he ran to school.（太郎は起きるのが遅かったので学校へ走って行った。）

21. so
22. that

Before he goes to work, he always reads a morning paper.
Before [23] to work, he always reads a morning paper.（仕事にいく前に，彼はいつも朝刊を読む。）

23. going

8 格言・名句でつづる人生・教育論

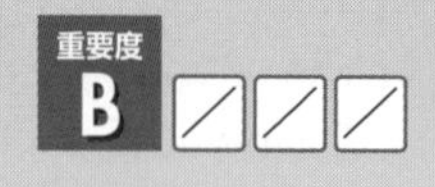

1. Man is the lord of creation.（人間は万物の霊長である。）
2. Rome was not built in a day.（ローマは１日にしてならず。）
3. When in Rome do as the Romans do.（郷に入りては郷に従え。）
4. Will is power.（意志は力である。）
5. Time is money.（時は金なり。）
6. Never too old to learn.（学ぶのに年をとりすぎたということはない。）
7. A learned fool is more foolish than an ignorant fool.（学問をした馬鹿は無学な馬鹿よりもっと馬鹿だ。）
8. To teach is one thing, to know is another thing.（教えることと知っていることとは別のことだ。）
9. Better untaught than ill taught.（悪い教育を受けるよりは教育をされないほうがましだ。）

◇次の各英文について，空所内に適語を補い，かつ，その意味と最も近い和文を次ページの㋐～㋾の中から選び記号で答えなさい。

▶Practise [1] you preach.
▶Learning makes a good man [2].
▶Strike [3] the iron is hot.
▶There is no royal road [4] learning.
▶Work [5] you work, play [5] you play.
▶The child is [6] of [to] the man.
▶Man is the [7] of circumstances.
▶Man is the creature of the [8].
▶Man is the measure of all [9].
▶Man is [10].
▶Old men are [11] children.
▶Haste makes [12].
▶Love is [13].
▶Dead men tell no [14].
▶[15] is bliss.
▶Politeness is not just for [16].
▶There is no way [17].

1. what―(す)
2. better―(あ)
3. while―(せ)
4. to―(い)
5. while―(そ)
6. father―(う)
7. creature―(た)
8. age―(え)
9. things―(ち)
10. mortal―(お)
11. twice―(つ)
12. waste―(か)
13. blind―(て)
14. tales―(き)
15. Ignorance―(と)
16. strangers―(く)
17. out―(な)

▶ Make [18] while the sun shines.
▶ [19] father, [19] son.
▶ The [20], the better.
▶ The wise man does not court [21].
▶ See Naples and then [22].
▶ Leave the flower [23] it is.
▶ So many countries, so many [24].

(あ) 学問は良い人をさらに良くする。
(い) 学問に王道なし。
(う) 三つ子の魂百まで。
(え) 人間は時代の子である。
(お) 人間は死すべきである。
(か) 急がば回れ。
(き) 死人に口なし。
(く) 親しき仲にも礼儀あり。
(け) 善は急げ。(好機を逃がすな)
(こ) 早ければ早いほどよい。
(さ) 日光見ずして結構と言うなかれ。(ナポリを見て死ね)
(し) 所かわれば品かわる。
(す) 自分の説くところをまず自分で実行せよ。
(せ) 鉄は熱いうちにうて。
(そ) 勉強するときは徹底して勉強をやり，遊ぶときは徹底して遊べ。(よく学び，よく遊べ)
(た) 人間は境遇の子である。
(ち) 万物の尺度は人間である。
(つ) 老人は子どもにかえる。
(て) あばたもえくぼ。(恋は盲目)
(と) 知らぬが仏。
(な) 万事休す。
(に) この親にしてこの子あり。
(ぬ) 君子危うきに近寄らず。
(ね) やはり野におけ蓮華草。

18. hay—(け)
19. Like, like—(に)
20. sooner—(こ)
21. danger—(ぬ)
22. die—(さ)
23. where—(ね)
24. customs—(し)

9 とっさに出にくい口語表現

重要度 A ／／／

1．試験の点数は良かったが，内申書がひどく悪かったので彼は合格しなかった。
His entrance examination score was very high, but since his school recommendations were so bad, he was not accepted.
2．その入学試験は案ずるより産むがやすしだった。
The entrance examination was easier than we had thought.
3．彼は医科大に裏口入学した。
He bought his way into medical school.
4．彼女がその科目に合格できるよう，教授は試験の点数に少々ゲタをはかせた。
Her professor sweetened her exam grade by a few points so that she could pass the course.
5．彼女は病気で英語の試験を受けられなかったが，教授が追試験を受けさせてくれた。
She was sick at the time of the English examination, but the professor let her take a make-up exam.

◇次の文章は日常よく耳にする言葉ですが，英訳となると，とっさには出にくい表現です。空所に最も適する語を次ページの語群より選びなさい。

▶彼はいつからグレだしたんだ。
どうしてまっとうになろうとしないんだ。
When did he first go [1]?
Why doesn't he try to reform ?

▶太郎はおふくろの味がたまらなく懐かしくなった。
Taro got homesick for the taste of his mom's [2].

▶両親の離婚後，彼は問題児になってしまった。
He became a [3] child after his parents broke up.

▶医者に引導を渡されちゃったよ。
酒をやめなければ命は保証しないってね。
The doctor gave me the [4].

1. wrong
2. cooking
3. problem
4. word

I have to stop drinking or I'll die.

▶駒沢（大学）と明治（大学）の校風は全然違う。

The school [5] of Komazawa and Meiji are completely different.

▶あの童歌を子供たちが歌うのを聞くと，いつも私は郷愁を誘われるのです。

I become nostalgic whenever I hear children sing that [6] children's song.

▶試験では昭和時代が中心に出るだろうと私はヤマをかけた。

I made a calculated [7] that the examination would focus on the Showa Era.

▶彼は田舎のちいさな高校ではトップかもしれないが，タカが知れているよ。

He may be tops in his small country high school, but he's nothing [8].

▶昔の田舎の教師は，何でも屋でないと務まらなかった。

A country school teacher used to have to be a [9].

▶確かにあの教授は今お山の大将だが，この調子じゃそう長くは持つまい。

Well, that professor is [10] of the mountain now, but at this rate he won't be for long.

▶歴史は文明の栄枯盛衰の記録である。

History is a chronicle of the rise and [11] of civilizations.

▶私はこの大学はもう懲りごりだ。

I'm already soured [12] this university.

▶我々は2～3か月前までは犬猿の仲だった。

We fought like [13] and dogs until a couple of months ago.

語　群

guess, wrong, jack-of-all-trades, on, cats, king, fall, great, cooking, characteristics, problem, word, traditional

5. characteristics

6. traditional

7. guess

8. great

9. jack-of-all-trades

10. king

11. fall

12. on

13. cats

10 英文和訳ひとひねり

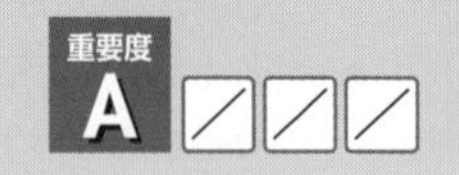

1. Our university building is now under construction on a hillside in the north of Sagamihara city.
   ぼくらの大学の校舎は，いま相模原市の北部の山腹に建築中です。
2. Many young people in the country long for city life.
   田舎の青年のなかには都会の生活にあこがれるものが多い。
3. From a strictly scientific point of view, history cannot be called a science.
   厳密な科学的見地からは，歴史は科学とはいえない。
4. It isn't what he says that annoys me but the way he says it.
   ぼくが不愉快に感じるのは彼のいうことではなくて，その言い方だ。

◇次の各英文を和訳しなさい。

① A time saw an event.

② A place saw an event.

③ This is how he solved the difficult question.

④ The question is not so much what it is as how it looks.

⑤ The knowledge of English makes us see what we should otherwise fail to see.

① 或る時或る事件が起きた。
② 或る所で或る事件が起きた。
③ このようにして彼はその難問を解いた。
④ 問題は，その本質よりもむしろその外観である。
⑤ 英語を知らなければ分からないことでも，英語を知れば分かるようになる。

※ヒント：無生物主語 + see → ～にある，not so much…as ～ → …よりむしろ～，otherwise → もしそうでなければ

8
政　治

1 基本的人権の重要宣言

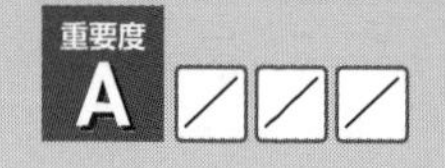

重要な宣言・規約等

1215	マグナ=カルタ（大憲章） イギリス
1628	権利の請願 イギリス
1689	**権利の章典** イギリス
1776	**独立宣言** アメリカ〈トマス=ジェファーソンの起草〉
1789	**人権宣言** フランス〈ラ=ファイエットの起草〉
1919	**ワイマール（ヴァイマル）憲法** ドイツ
1948	**世界人権宣言** 国際連合
1966	**世界人権規約** 国際連合

啓蒙思想家

ロック（1632～1704）イギリス『**市民政府二論**』（1690）
…名誉革命を理論的に支持し，アメリカ独立やフランス革命に影響を与えた。

モンテスキュー（1689～1755）フランス『**法の精神**』（1748）
…イギリスの立憲政治を支持し，アメリカ合衆国憲法に彼の**三権分立**の考えが取り入れられた。

ルソー（1712～1778）フランス『**社会契約論**』（1762）
…フランスの絶対王政を批判し，フランス革命に影響を与えた。

1. 権利の章典
2. 市民政府二論
3. 法の精神

▶**名誉革命** 1688～1689年イギリス

▶［ 1 ］ 1689年イギリス

1の1項 国会の**承認**なしで，**王権**により，法律または法律の施行を停止する虚構の権限は違法である。

1の4項 国会の**承認**なしで，**大権**を名として，（略）金銭を徴収することは違法である。

▶『［ 2 ］』**ロック** 1690年イギリス

生命・自由・財産などの要求は，人間として当然の権利であり，どんな権力もこれを侵してはならない。

▶『［ 3 ］』**モンテスキュー** 1748年フランス

権力者は権力を濫用しがちなので，権力を，法律を定めること（**立法**），法律にもとづいて実際の政治をすること（**行政**），法律にもとづいて裁判をすること（**司**

法)，の３つに分け，たがいに他の権力の濫用をおさえる政治のしくみをつくらなければならない。

▶『[4]』ルソー　1762年フランス

国家の権力（主権）はもともと人民のもので，人民がその幸福のために用いるという契約にもとづいて国家に委任したものであるから，人民の意思にそって用いなければならない。

▶アメリカ独立戦争　1775～1783年アメリカ

▶[5]　1776年アメリカ

すべての人は平等につくられ，造物主によって一定の譲るべからざる諸権利を与えられており，そのなかには生命・自由および幸福追求が含まれている。また，これらの権利を確保するために，人々のあいだに政府が設けられ，その正当な権利は被治者の同意に由来するものである。そして，どんな形態の政府でも，この目的を損なうことになった場合には，それを変更もしくは廃止して新しい政府を設けることは人民の権利である。

▶フランス革命　1789年フランス

▶[6]　1789年フランス

第１条　人は生まれながらにして自由で平等な権利を持つ。

第２条　あらゆる政治的団結の目的は，生まれつきのもので侵すことのできない人権を維持することにある。その人権とは自由・所有権・安全および圧政への抵抗である。

第３条　すべての主権は本来国民のものである。

第４条　自由は，他人を害しないすべてをなし得ることにある。

第17条　財産所有（所有権）は，不可侵かつ神聖の権利であるから，これを奪うことはできない。

4. 社会契約論

5. アメリカ独立宣言

6. フランス人権宣言

2 国民主権と平和主義

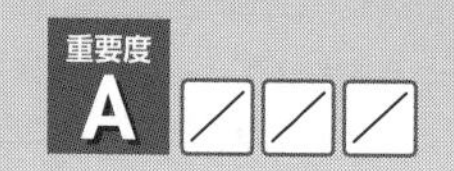

頻出条文

⦿日本国民は，（略）政府の行為によって再び戦争の惨禍が起ることのないようにすることを決意し，ここに主権が**国民**に存することを宣言し，この憲法を確定する。そもそも国政は，国民の厳粛な信託によるものであって，その権威は国民に由来し，その権力は国民の代表者がこれを行使し，その福利は国民がこれを享受する。（略）日本国民は，恒久の**平和**を念願し（略）平和のうちに生存する権利を有することを確認する。（憲法前文）

⦿天皇は，日本国の象徴であり日本国民統合の**象徴**であって，この地位は，主権の存する**日本国民**の総意に基く。（憲法第１条）

⦿天皇の国事に関するすべての行為には，内閣の**助言**と**承認**を必要とし，内閣が，その**責任**を負う。（憲法第３条）

⦿天皇は，国会の**指名**に基いて，内閣総理大臣を**任命**する。（憲法第６条①）

⦿天皇は，内閣の**指名**に基いて，最高裁判所の長たる裁判官を**任命**する。（憲法第６条②）

⦿日本国民は，正義と秩序を基調とする国際平和を誠実に希求し，国権の発動たる戦争と，武力による威嚇又は武力の行使は，**国際紛争**を解決する手段としては，永久にこれを放棄する。（憲法第９条①）

⦿前項の**目的**を達するため，陸海空軍その他の**戦力**は，これを保持しない。国の交戦権は，これを認めない。（憲法第９条②）

1．日本国憲法

公布1946年11月3日　　施行1947年5月3日

日本国憲法の三大原則

①［ 1 ］

②**平和主義**（戦争放棄）

③**基本的人権**の尊重

2．天　皇

A．天皇の地位……憲法第１条

天皇は，日本国の［ 2 ］であり日本国民統合の［ 3 ］であって，この地位は，主権の存する日本国民の総意に基く。

B．天皇の国事行為

●**国事行為**……憲法第３条

1. 国民主権
2. 象徴
3. 象徴

内閣の[4]が必要で，内閣が**責任**を負う。

- **任命**……憲法第6条
  - ①国会の指名にもとづき[5]を任命。
  - ②内閣の指名にもとづき[6]を任命。
- **国事行為**……憲法第7条
  - ①法令の公布……憲法改正，法律，政令など。
  - ②国会の召集……内閣の決定による。
  - ③衆議院の解散……内閣の助言と承認による。
  - ④国会議員の総選挙の施行の公示
  - ⑤国務大臣等の任免等，大公使の信任状の認証
  - ⑥大赦等及び刑の執行の免除及び復権の認証
  - ⑦栄典の授与
  - ⑧外交文書等の認証

3．平和主義（戦争放棄）

A．憲法前文

(略)日本国民は，恒久の**平和**を念願し(略)平和のうちに生存する権利を有することを確認する。

B．憲法第9条

①戦争放棄……**国際紛争**の解決手段にしない。

②[7]の不保持……陸海空軍その他の**戦力**不保持。

③[8]の否認……他国との交戦権の否認。

C．自衛隊の創設

1950年朝鮮戦争→**警察予備隊**

1952年警察予備隊→保安隊

1954年保安隊→**自衛隊**

D．憲法と自衛隊

文民支配（統制）の原則……自衛隊の出動は，**国会**が承認し，[9]が命令する。

E．憲法第9条解釈の問題点

①自衛隊は**戦力**になるか（長沼ナイキ基地訴訟）

②在日米軍は**戦力**になるか（砂川訴訟）

③**自衛権**は認められているか

F．**非核三原則**……1971年国会決議

①持たず　②作らず　③[10]

4. 助言と承認

5. 内閣総理大臣

6. 最高裁判所長官

7. 戦力

8. 交戦権

9. 内閣総理大臣

10. 持ちこませず

3 基本的人権の尊重

重要度 A

頻出条文

⊙国民は，すべての基本的人権の享有を妨げられない。この憲法が国民に保障する基本的人権は，侵すことのできない永久の権利として，現在及び将来の国民に与えられる。(憲法第11条)

⊙この憲法が国民に保障する自由及び権利は，国民の不断の努力によって，これを保持しなければならない。又，国民は，これを濫用してはならないのであって，常に公共の福祉のためにこれを利用する責任を負う。(憲法第12条)

⊙すべて国民は，個人として尊重される。生命，自由及び幸福追求に対する国民の権利については，公共の福祉に反しない限り，立法その他の国政の上で，最大の尊重を必要とする。(憲法第13条)

⊙すべて国民は，法の下に平等であって，人種，信条，性別，社会的身分又は門地により，政治的，経済的又は社会的関係において，差別されない。(憲法第14条①)

⊙すべて公務員は，全体の奉仕者であって，一部の奉仕者ではない。(憲法第15条②)

1．自由権

A．[1]の自由

- 奴隷的拘束・苦役からの自由 (18条)
- 法定の手続きの保障 (31条)
- 逮捕・拘禁・捜索などに対する保障 (33～35条)
- 刑事手続きの保障 (36～39条) など

B．[2]の自由

- 居住・移転・職業選択の自由 (22条)
- 財産権の保障 (29条) など

C．[3]の自由

- 思想・良心の自由 (19条)
- 信教の自由 (20条)
- 集会・結社・表現の自由 (21条)
- [4]の自由 (23条) など

2．平等権

- 個人の尊重 (13条)

1. 身体
2. 経済活動
3. 精神活動
4. 学問

● 5 の平等（14条）

● 男女の平等（24条）

● 政治上の平等（44条）

3．社会権

● 6 （25条）

● 教育を受ける権利（26条）

● 労働基本権（27条，28条）

4．基本的人権を保障するための権利

A．参政権

● 公務員の選定罷免権（15条）

● 選挙権・被選挙権（15条，44条，93条）

選挙権……7 歳以上

8 ……30歳以上〈参議院議員，知事〉

25歳以上〈衆議院議員，地方議会議員，市町村長〉

● 最高裁判所裁判官の 9 （79条）

● 地方自治特別法の 10 （95条）

● 憲法改正の 11 （96条）

● 請願権（16条）

B．請求権

● 国・地方公共団体などに対する損害賠償請求権（17条）

● 12 を受ける権利（32条，37条）

● 刑事補償請求権（40条）

5．新しい権利・人権

● 環境権

● 知る権利（→情報公開法・情報公開制度）

● 13 の権利

● 知的財産権

● 自己決定権

6．国民の三大義務

①教育を受けさせる義務（26条）

② 14 の義務（27条）

③ 15 の義務（30条）

5. 法の下
6. 生存権
7. 18
8. 被選挙権
9. 国民審査権
10. 住民投票権
11. 国民投票
12. 裁判
13. プライバシー
14. 勤労
15. 納税

4 国　会

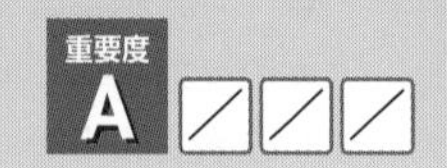

頻出条文

- ⊙国会は，国権の最高機関であって，国の唯一の立法機関である。（憲法第41条）
- ⊙衆議院議員の任期は，４年とする。但し，衆議院解散の場合には，その期間満了前に終了する。（憲法第45条）
- ⊙参議院議員の任期は，６年とし，３年ごとに議員の半数を改選する。（憲法第46条）
- ⊙この憲法の改正は，各議院の総議員の３分の２以上の賛成で，国会が，これを発議し，国民に提案してその承認を経なければならない。この承認には，特別の国民投票又は国会の定める選挙の際行われる投票において，その過半数の賛成を必要とする。（憲法第96条①）
- ⊙憲法改正について前項の承認を経たときは，天皇は，国民の名で，この憲法と一体を成すものとして，直ちにこれを公布する。（憲法第96条②）

1．国会のしくみ（42～51条，公職選挙法第４条）

①衆議院

議員数：	[1]人	任　期：	[2]年
選挙権：	[3]歳以上	被選挙権：	[4]歳以上
解　散：	[5]	選挙制度：	[6]
		[7]	：176人
		[8]	：289人

②参議院

議員数：	[9]人	任　期：	[10]年
選挙権：	[11]歳以上	被選挙権：	[12]歳以上
解　散：	[13]	選挙制度：	[14]
		[15]	：100人
		[16]	：148人

2．国会の種類

①常会（通常国会）（52条）

毎年１回，１月中に召集，会期[17]日間。おもに次年度予算の審議。

②臨時会（臨時国会）（53条）

1. 465　**2.** 4
3. 18　**4.** 25
5. あり
6. 小選挙区比例代表並立制
7. 比例代表制
8. 小選挙区制
9. 248　**10.** 6
11. 18　**12.** 30
13. なし
14. 選挙区比例代表並立制
15. 比例代表制
16. 選挙区制（大選挙区制）
17. 150

いずれかの議院の総議員の[18]以上の要求により**内閣**が召集。

③特別会（**特別国会**）(54条)

衆議院の**解散**の日から[19]日以内に，衆議院議員の総選挙を行い，その選挙の日から[20]日以内に国会を召集。

すべての案件に先立って[21]の指名を行う。

※**緊急集会**（54条②③）

衆議院が解散中，国に緊急の必要があるとき，参議院の緊急集会を開く。しかし，ここでの決定は，あくまでも**臨時**のもので，次の国会開会の後[22]日以内に衆議院の同意がないと無効になる。

3．衆議院の優越

①法律の議決権（59条②）

②[23]の**先議権**（60条①）

③**条約**の承認権（61条）

④[24]の指名（67条②）

⑤**内閣不信任**決議（69条）

4．国会の仕事

①内閣総理大臣の**指名**・信任（6条，67条，69条）

②法律の制定（59条），**予算**の議決（60条），**条約**の承認（61条）など

③**弾劾裁判所**の設置（64条）

裁判官に対し，非行や怠慢があればその裁判官の**罷免**を決定できる

④**憲法改正**の発議（96条）

⑤**国政調査権**（62条）

国政について調査する権限

5．国会の審議

①本会議……議員全員からなる

②委員会……常任委員会と[25]

6．憲法改正

①各議院の**総議員**の[26]の賛成

②**国民投票**による[27]の賛成

③**天皇**による**公布**

※憲法の制定・改正には，一般の法律に比べて厳しい条件が必要となる。国の最高法規で最も基本となる法であるから，より慎重な手続きが求められる。

18. 4分の1
19. 40
20. 30
21. 内閣総理大臣
22. 10
23. 予算
24. 内閣総理大臣
25. 特別委員会
26. 3分の2
27. 過半数

5 内　閣

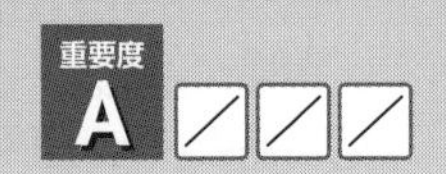

頻出条文

◎行政権は，内閣に属する。(憲法第65条)
◎内閣は，行政権の行使について，国会に対し連帯して責任を負う。(憲法第66条③)
◎内閣総理大臣は，国会議員の中から国会の議決で，これを指名する。この指名は，他のすべての案件に先だって，これを行う。(憲法第67条①)
◎衆議院と参議院とが異なった指名の議決をした場合に，法律の定めるところにより，両議院の協議会を開いても意見が一致しないとき，又は衆議院が指名の議決をした後，国会休会中の期間を除いて10日以内に，参議院が，指名の議決をしないときは，衆議院の議決を国会の議決とする。(憲法第67条②)

1．内閣の地位

行政の最高責任機関，他の行政機関を指揮監督。

2．議院内閣制

内閣総理大臣及び内閣が，国会の信任の上に成り立ち，国会に対して［1］して責任を負う。

3．内閣の構成

A．内閣総理大臣

①選任……国会が指名し天皇が任命する（6条）
②資格……国会議員であること（67条）
［2］であること（66条②）

B．国務大臣

①選任……［3］が任命する（68条）
②資格……［4］であること（66条②）
※過半数は国会議員より選出（68条①）

閣議……総理大臣と国務大臣の会議，全員一致制。

4．内閣の総辞職

①衆議院で不信任の決議案を可決又は信任の決議案を否決したとき，［5］日以内に衆議院が解散されないとき。(69条)
②衆議院議員の［6］後の初めての国会（特別国会）

1. 連帯
2. 文民
3. 内閣総理大臣
4. 文民
5. 10
6. 総選挙

の召集のとき。(70条)

③内閣総理大臣が**欠けた**とき。(70条)

5．内閣の仕事（73条その他）

①法律にもとづいて行政を行い，そのために必要な［ 7 ］を定める。

②外交関係を処理し，外国と**条約**を結ぶ。

③予算や法律案をつくり，国会に提出する。

④国家公務員に関する事務（任命・監督など）を行う。

⑤刑の減免および復権の決定。

⑥［ 8 ］の召集を決定する。

⑦［ 9 ］の**解散**を決定する。

⑧**最高裁判所**の長官を**指名**，他の裁判官を**任命**する。

⑨**天皇**の**国事行為**に，［ 10 ］を与える。

6．中央省庁

※**こども家庭庁**が創設。子供関連の課題・政策の一元化をめざす。

①［ 11 ］……通商貿易・度量衡・資源・工業所有権・特許などに関する行政機関。

②［ 12 ］……医療・福祉・衛生・社会保障及び労働者の福祉と職業の確保を任務とする。

③［ 13 ］……教育・学術・学校・文化の発展及び科学技術行政の推進を担う行政機関。

④［ 14 ］……国の財政関係に関する行政機関。

⑤［ 15 ］……流通・運輸，治山・治水・国土の総合開発，交通に関する行政機関。

⑥［ 16 ］……内閣の重要政策の立案・調整を担う。国家公安委員会，カジノ管理委員会は外局。

⑦［ 17 ］……農林・畜産・水産業に関する行政機関。

⑧［ 18 ］……地方公共団体への連絡・指導，各行政機関の監察，郵政行政などを行う。

⑨［ 19 ］……外国との交渉，条約締結，国際関係調整。

⑩［ 20 ］……検察業務など法務に関する行政機関。

⑪［ 21 ］……環境の保全に関する行政機関。

⑫［ 22 ］……日本の平和と独立を守り，国の安全を保つために自衛隊の管理・運営を担う。

⑬［ 23 ］……東日本大震災の復興行政事務を行う。

⑭［ 24 ］……デジタル社会の実現を主導する行政機関。

7. 政令
8. 国会
9. 衆議院
10. 助言と承認
11. 経済産業省
12. 厚生労働省
13. 文部科学省
14. 財務省
15. 国土交通省
16. 内閣府
17. 農林水産省
18. 総務省
19. 外務省
20. 法務省
21. 環境省
22. 防衛省
23. 復興庁
24. デジタル庁

6 裁　判　所

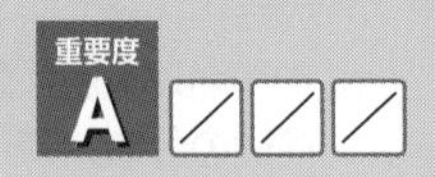

頻出条文

⊙すべて司法権は，**最高裁判所**及び法律の定めるところにより設置する**下級裁判所**に属する。（憲法第76条①）
⊙すべて裁判官は，その**良心**に従い**独立**してその**職権**を行い，この**憲法**及び**法律**にのみ**拘束**される。（憲法第76条③）
⊙裁判官は，裁判により，**心身の故障**のために職務を執ることができないと決定された場合を除いては，公の**弾劾**によらなければ罷免されない。裁判官の**懲戒処分**は，**行政機関**がこれを行うことはできない。（憲法第78条）

1．司法権の意味と独立

事件などを法を適用して裁く権利。立法・行政から**独立**してこれを行う。

2．裁判官の指名

A．最高裁判所

長官：［ 1 ］が**指名**し**天皇**が**任命**する。（6条②）
他の裁判官：**内閣**が**任命**する。（79条①）

B．下級裁判所

最高裁判所の指名した名簿にもとづき**内閣**が**任命**する。（80条①）

3．裁判所の種類

A．［ 2 ］……軽い訴訟を扱う裁判所。
民事事件：訴額140万円を超えない請求事件。
刑事事件：**罰金**以下の刑に該当する事件。

B．［ 3 ］……**家庭事件**の審判・調停。**非行のある少年**の事件について審判。

C．**地方裁判所**……通常の民事・刑事事件の第一審と，簡易裁判所における民事事件の控訴審を扱う裁判所。各都道府県におかれる。

D．［ 4 ］……下級裁判所のうち最上位にある裁判所。主に**第二審**。**内乱罪**のみ一審を扱う。全国に8か所。
※2005年より**知的財産**高等裁判所を設置。

1．内閣
2．簡易裁判所
3．家庭裁判所
4．高等裁判所

E．[5]……司法権の最高機関，**終審裁判所**。
長官と14人の**最高裁判所判事**で構成。[6]を有す。

4．三審制度（一般的な例）

最高裁判所
↑[7]
高等裁判所
↑[8]
地方裁判所

5．裁判の種類

A．[9]……個人や団体の財産上の争いや身分上の権利義務についての争いを内容とする裁判。
訴えた人→**原告**　　訴えられた人→[10]

B．[11]……強盗・放火・殺人その他，法律で定められている犯罪行為を内容とする裁判。
訴えた人→**検察官**　　訴えられた人→[12]

6．三権分立

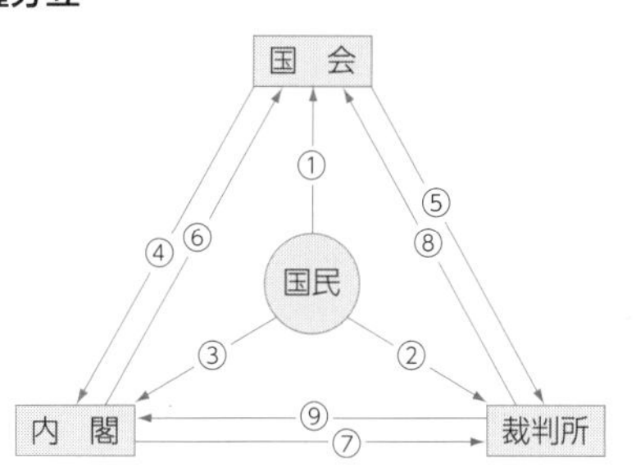

〔国民の権利〕①**国会議員**の選挙
②[13]
③世論

〔国会の権利〕④**内閣総理大臣**の指名，**内閣不信任**決議
⑤[14]

〔内閣の権利〕⑥[15]の**解散**
⑦最高裁判所の長官の**指名**およびその他の裁判官の**任命**

〔裁判所の権利〕⑧[16]　⑨政令，命令，処分などの**違憲審査**

5. 最高裁判所
6. 司法裁判権
7. 上告
8. 控訴
9. 民事裁判
10. 被告
11. 刑事裁判
12. 被告人
13. 最高裁判所裁判官の国民審査
14. 弾劾裁判
15. 衆議院
16. 違憲立法審査権（法令審査権）

7 地方自治

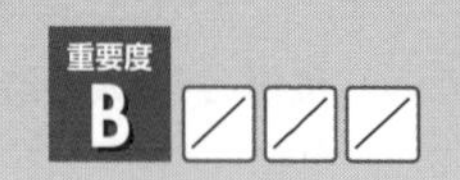

頻出条文

⊙地方公共団体の組織及び運営に関する事項は，**地方自治の本旨**に基いて，法律でこれを定める。（憲法第92条）
⊙地方公共団体には，法律の定めるところにより，その議事機関として**議会**を設置する。（憲法第93条①）
⊙地方公共団体の長，その議会の議員及び法律の定めるその他の吏員は，その地方公共団体の住民が，**直接**これを**選挙**する。（憲法第93条②）
⊙地方公共団体は，その財産を管理し，事務を処理し，及び**行政**を執行する権能を有し，**法律の範囲内**で**条例**を制定することができる。（憲法第94条）
⊙一の地方公共団体のみに適用される**特別法**は，法律の定めるところにより，その地方公共団体の住民の投票においてその**過半数**の**同意**を得なければ，国会は，これを制定することができない。（憲法第95条）

1．地方自治の本旨（地方自治法参照）

A．［ 1 ］
地域社会（地方公共団体）の政治は，**住民**の手で自らが行う。

B．［ 2 ］
地方公共団体は，**自治権**をもつ団体として国の**干渉**を受けない。

2．地方公共団体の機能

地方公共団体は，その財産を管理し，事務を処理し，及び行政を執行する権能を有し，**法律の範囲内**で［ 3 ］を制定することができる。（憲法第94条）

3．地方公共団体の仕事

①公営事業
・水道・交通（電車・バス）・ガス事業などの運営。
②施設の設置と管理
・幼稚園・学校・病院などの設置。
・し尿・ゴミ処理など。
・堤防・住宅などの建設と管理。
③法定受託事務

1. 住民自治
2. 団体自治
3. 条例

・国政選挙。
・生活保護などの社会保障。
・戸籍・保健・国民年金などの仕事。

4．地方公共団体の首長

A．資格
知事……30歳以上　市町村長……25歳以上

B．任期　[4]年，ただしリコールがある。

C．権限　事務管理と執行，委任事務，予算の編成。

5．地方議会

A．議員の資格　25歳以上

B．選出と任期　**住民の直接選挙**，[5]年

C．仕事　①[6]の制定・改廃　②予算の議決や決算の承認など　③[7]の賦課徴収

6．直接請求権

請求	成立要件	請求先
条例の制定改廃	有権者50分の1以上	首長
監査請求	有権者50分の1以上	監査委員
議会の解散請求	有権者3分の1以上	選挙管理委員会
議員・長の解職	有権者3分の1以上	選挙管理委員会
主要公務員の解職	有権者3分の1以上	首長

①[8]（リコール）
公職にある者を住民の意思で**罷免**請求すること。

②[9]（レファレンダム）
憲法改正や特別法の制定時などに行われる。

③[10]（イニシアチブ）
条例の制定・改廃の要求など地方公共団体に立法の提案をする。

7．名　言

ブライス「地方自治は[11]の**学校**である」

4. 4
5. 4
6. 条例
7. 地方税
8. 国民解職（解職請求）
9. 国民（住民）投票
10. 国民発案
11. 民主主義

8 政治

● Reference

■地方自治の流れ

○1999～2010年**【平成の大合併】** 地方分権の受け皿として，より財政規模の大きな地方行政体制を目指した。そのため約市町村数が半減した。

○2000年**【地方分権一括法施行】** 国が地方を指揮・監督するのではなく，地方が独自に施策を決定できるようになった。

○2004～2006年**【三位一体改革】** ①国から地方への税源移譲，②国庫補助負担金の改革，③2006年地方交付税改革，この3つの改革が実施された。

○2006年**【地方分権改革推進法成立】** 地方分権の推進についての基本理念。地方分権改革推進委員会の設置など。2010年3月までの時限立法。

○2011～2015年**【地方への事務・権限の移譲】** 2011年第1次地方分権一括法～2015年第5次地方分権一括法。

9
経　済

1 経済学史

経済学史

16C	重商主義（～17C）	マリーンズ トマス＝マン
18C	重農主義	ケネー『経済表』
18C	古典学派	アダム＝スミス『諸国民の富』
19C	マルクス経済学	マルクス，エンゲルス『資本論』
20C	近代経済学	ケインズ『雇用・利子および貨幣の一般理論』

1. 重商主義
2. 重農主義
3. アダム＝スミス
4. マルクス
5. ケインズ

絶対王政下，輸出の増加，輸入の抑制により，国家財政の再建をはかった。絶対君主の保護のもとに**商業資本**の育成が行われた。これらのことを［ 1 ］という。

これらの保護政策に対し，［ 2 ］は富の源泉を**農業生産**に求め，**農産物**の自由取引と自由主義経済を主張した。

市民革命によって，中小商工業者が台頭し，重商主義を否定した［ 3 ］は，**自由放任主義**を主張した。**価格**というものは，**需要**と**供給**の関係によって決定される。いわゆる「**神の見えざる手**」を説いた。

産業革命による資本経済の発展は，貧富の差を助長し，労働者の悲惨な労働条件が問題になったころ，［ 4 ］は，友人**エンゲルス**と**『資本論』**で**社会主義**思想を訴えた。

1929年アメリカに端を発した**世界恐慌**克服のため，アメリカは**ローズヴェルト**大統領のもとに，［ 5 ］の理論を取り入れた失業者の救済に努めた。

2 消費生活と家計

重要度 B ／ ／ ／

経済循環

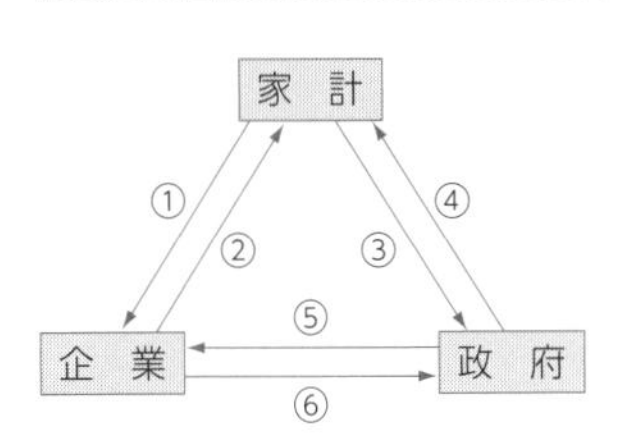

①労働力・資金・代金
②賃金・利子・財・サービス
③税金・労働力（公務員）
④公共サービス・賃金（公務員）
⑤公共サービス・代金
⑥税金・財・サービス

エンゲル係数

$\frac{\text{食料費}}{\text{消費支出}}$ ×100＝**エンゲル係数**（%）

※エンゲル係数が 高い…生活が苦しい / 低い…生活に余裕がある

1．家計の収入

①［ 1 ］所得…**勤め先**から受け取る収入〈会社（企業）・官庁〉
②［ 2 ］所得…**個人**で**経営**している工場や商店などの収入〈農家・個人企業・商店〉
③［ 3 ］所得…自分の**財産**や土地を貸して得る収入〈地代・家賃・配当・利子〉

2．家計の支出

▶**財**や**サービス**を得るために必要な消費支出……食料費・住居費・光熱費・水道費・被服費・教育費・雑費・その他

▶社会生活上必要な支出……税金・社会保障費・その他

1. 勤労
2. 個人業主
3. 財産

3 価　　格

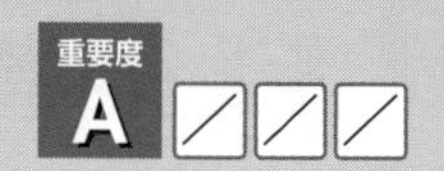

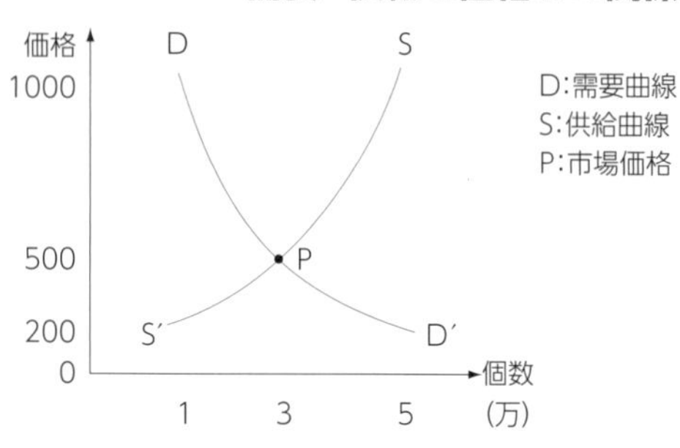

この商品の価格が1000円のとき，需要は1万個しかないが，200円のときは，需要は5万個に増加する。このD～D′の曲線を**需要曲線**という。また，価格が1000円のとき，供給は5万個と多いが，200円のときは，1万個に減少する。このS～S′の曲線を**供給曲線**という。価格が500円のとき，需要と供給はともに3万個で等しくなり，つりあう。すなわち，この商品の価格は，需要と供給が調整されて500円で落ちつく。

1．価格の種類

1. 市場
2. 生産
3. 独占
4. 統制

［　1　］価格……商品が実際市場で売買される価格。**需要**と**供給**の関係で**変動**する。

［　2　］価格……**生産費**に**利潤**を加えた価格。

［　3　］価格……有力企業が**価格指導者**（**プライス・リーダー**）として**価格**を設定し，他の企業がそれにならう場合の価格。

［　4　］価格……政治上の必要性から**国**や**自治体**によって**統制**される価格。**公定価格**ともいう。公共料金もこれに入る。

公共料金……公共サービスの料金。

例：運賃，郵便・電信・電話料金，電気・ガス・水道料金，国公立学校の授業料，公営住宅の家賃，銭湯の入浴料等

公定価格……政府の決定する価格。

2．価格の働き

商　品	価　格	生産量	消費量
多　い	下がる	減らす	多く買う
不　足	上がる	増やす	買い控え

3．物価指数

［ 5 ］……さまざまな商品の**価格の平均値**。

［ 6 ］……基準となる年の**物価**を100として，その前後の変化の様子を**指数**で表したもの。

企業物価指数……生産者の出荷，卸売段階での物価の動きを表したもの。原材料費や賃金など，企業の生産活動に必要な費用と関係が深い。

［ 7 ］……消費者が買う**小売**段階での**物価の動き**をみたもの。

$$物価指数(\%) = \frac{その時期の物価}{基準の時の物価} \times 100$$

5. 物価
6. 物価指数
7. 消費者物価指数

4．インフレ・デフレ

［ 8 ］……中央銀行の過剰量の通貨の発行や赤字公債の発行などにより，**市中**に必要以上に**通貨**があふれるため，**物価**が上がり，**貨幣の価値**が下落する現象。

［ 9 ］……インフレーションとは逆に，商品流通量に対して**通貨量**が相対的に減り，**物価**が下がる（貨幣価値が上がる）現象。

8. インフレーション
9. デフレーション

	生　産	賃　金	物　価	倒　産	失業者
好況	最　高	最　高	上がる	減　る	最　低
後退	減少してくる	下がる	下　降	増えてくる	増　加
不況	最　低	最　低	下がる	増える	最　高
回復	増加してくる	上がる	上　昇	減ってくる	減　少

［ 10 ］……**不況**なのに**物価**が上昇する現象。

［ 11 ］……需要不足から物価が下落→企業の生産低下・収益の減少→所得の低下・失業の増大→家計の悪化　というように**景気の悪循環**を繰り返しながら**不況**が深刻化する現象。

10. スタグフレーション
11. デフレスパイラル

9 経済

4 企業・金融

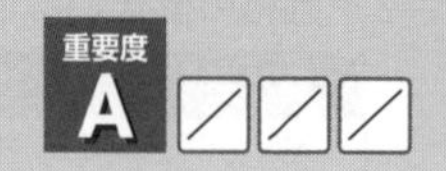

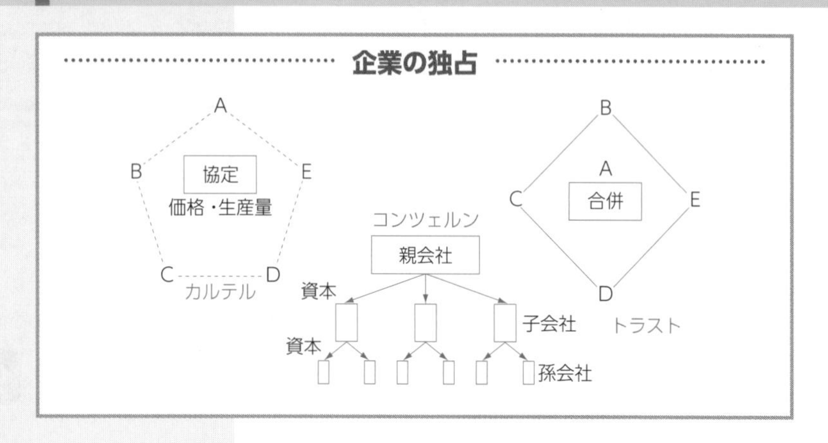

1．**企業の形態**

1. 公企業	[1]……**国・地方公共団体**が所有し経営する企業。国営企業，公社・公団・公庫，独立行政法人，地方公営企業。
2. 国営企業	[2]……国が出資し経営する企業。**国有林野**。
3. 地方公営企業	[3]……**地方公共団体**が出資し経営する企業。ガス・水道事業，都市交通等。
4. 私企業	[4]……一般の民間人が出資し経営する企業。
5. 個人企業	[5]……個人が出資し経営する企業。自営業。
6. 法人企業	[6]……法律により**法人**として認められた企業。
7. 合名会社	[7]…… 1 人以上の**無限責任社員**で構成される会社。家族，親類などからなる小規模な会社。
8. 合資会社	[8]……経営する**無限責任社員**と出資するだけの**有限責任社員**からなる会社。
9. 合同会社	[9]……**有限責任社員** 1 人以上で構成される会社。持分譲渡は，社員総会の承認事項。
10. 株式会社	[10]……**有限責任の出資者**である**株主**によって成立する。**株式**を発行し，不特定多数の人から資金を調達できる。

2．金　融

▶銀行の仕事

①預　金……普通預金・定期預金・通知預金・**当座預金**など。

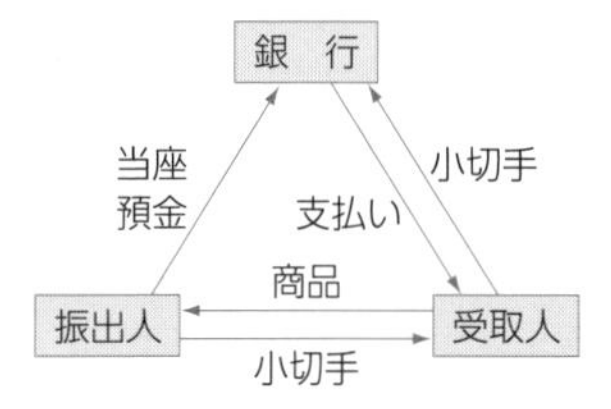

②貸　付……**利子**をとる。

▶[11]……金融と技術を組み合わせた金融におけるサービス。**クラウドファンディング**など。

11. フィンテック

3．日本銀行

▶３つの銀行機能

①唯一の[12]銀行……日本銀行が，日本の通貨の基礎となる紙幣（**日本銀行券**）を発行する。硬貨は**財務省**が発行する。

12. 発券

②[13]の銀行……**政府資金**を取り扱う。日本銀行には政府の預金口座があり，政府が集めた税金をここで受け入れ，公共事業，年金などの支出時に支払う。

13. 政府

③[14]の銀行……一般の銀行は日本銀行に**当座預金**口座を持っている。この口座を通して一般の銀行から資金を預かったり，その預金の一部を貸し付けたりする。

14. 銀行

▶日本銀行の仕事

①「基準割引率および基準貸付利率」の変更

②**公開市場操作**

（オープン・マーケット・オペレーション）

③預金準備率操作

5 租税・財政

税金の区分

	直接税	間接税など
国税	所得税 法人税 相続税 贈与税	消費税，酒税，たばこ税，揮発油税，石油ガス税，関税，航空機燃料税，石油石炭税，自動車重量税，とん税，印紙税など

		普通税	目的税
地方税	道府県税	道府県民税，**事業税**，不動産取得税，**地方消費税**，自動車税，道府県たばこ税など	道府県法定外目的税，水利地益税，狩猟税など
	市町村税	市町村民税，**固定資産税**，軽自動車税，市町村たばこ税など	**都市計画税**，入湯税，事業所税，水利地益税など

1. 国税
2. 地方税
3. 直接税
4. 間接税
5. 累進課税制度

1．租税の種類

[1]……**国**の収入の中心になる税金。国が国民に課する税金。

[2]……**地方公共団体**の収入の中心になる税金。道府県税と市町村税に分かれる。

[3]……租税負担者と納付者が**同じ**である税金。

[4]……租税負担者と納付者が**異なる**税金。

[5]……所得の多い人には課税率を**高く**し，所得の少ない人には課税率を**低く**することにより，所得の不平等をやわらげようとする制度。所得税，相続税，贈与税など。法人税や間接税などは均等税率制である。

2．歳　入

▶租税・国債

6. 所得税
7. 法人税
8. 相続税
9. 贈与税

[6]……**個人**の所得に対して課される税。

[7]……**法人**の所得に対して課される税。

[8]……**相続財産**等に対して課される税。

[9]……**贈与**により取得した財産に対して課される

税。

3．歳　出

[10]……国の基本的な仕事を行うための会計。
社会保障関係費・**地方交付税交付金**等・**国債費**・公共事業関係費・文教及び科学技術振興費等。

10. 一般会計

[11]……**特別**な**事業**を行うための会計。

11. 特別会計

4．公　庫

[12]……国や地方公共団体が，財政支出を経常収入でまかないきれない場合，必要な資金を調達するために発行される**債券**。

12. 公債

[13]……**国**が発行する**公債**。

13. 国債

[14]……**地方公共団体**が発行する**公債**。

14. 地方債

5．財政政策

	景気停滞時	景気過熱時
公共投資	増大させる	削減する
租税政策	減税する	増税する
社会保障費	増大させる	減少する

6．地方財政

[15]……国が**使途を定めて**，地方公共団体へ支出する資金。

15. 国庫支出金

[16]……国税の所得税，法人税，酒税，消費税等の一定割合が，地方公共団体の**財政力に応じ**支出される資金。

16. 地方交付税交付金

●Reference

■日本の所得税率

1000円～195万円未満	5％
195万円～330万円未満	10％
330万円～695万円未満	20％
695万円～900万円未満	23％
900万円～1800万円未満	33％
1800万円～4000万円未満	40％
4000万円以上	45％

■主な国の消費税率（2023年1月現在）

27％	ハンガリー
25％	スウェーデン，デンマーク，ノルウェー，クロアチア
22％	イタリア
20％	イギリス，フランス，オーストリア
19％	ドイツ
13％	中国，カナダ
10％	韓国，インドネシア

6 国際経済

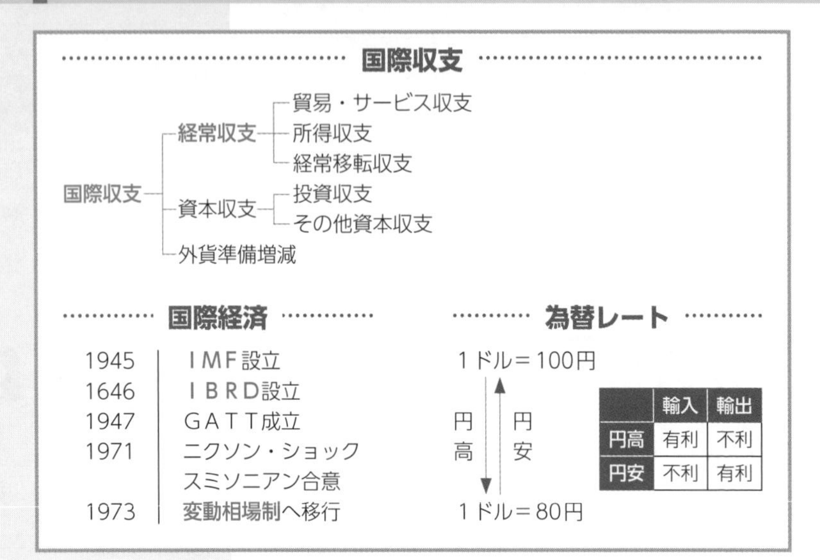

	輸入	輸出
円高	有利	不利
円安	不利	有利

1．国際収支

[1]……国の一定期間（通常１年）における**外国**との取り引き**貨幣額**の収支。

A．[2]収支

[3]：商品・サービスの**輸出入**など。

[4]：雇用者報酬・投資収益など。

[5]：国際機関への拠出，無償資金援助，労働者の送金など。

B．[6]収支

[7]：直接投資，証券投資，貸付・借入・貿易信用等。

[8]：資本移転，特許権の処分や取得など。

2．貿　易

[9]：国際収支の赤字国に対し，**短期資金**を供給する。

[10]：国際収支の赤字国に対し，**長期資金**を供給する。

1. 国際収支
2. 経常
3. 貿易・サービス収支
4. 所得収支
5. 経常移転収支
6. 資本
7. 投資収支
8. その他資本収支
9. ＩＭＦ
10. ＩＢＲＤ

7 国内所得

重要度 B ／／／

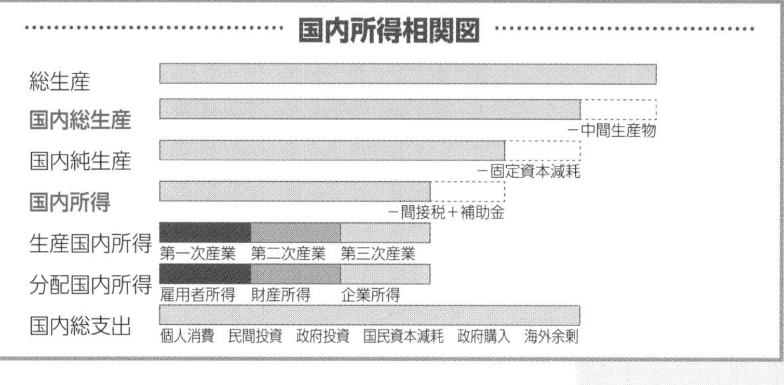

1．国民経済

[1]……国民が国の**内外**を問わず1年間に生産した総産出額から中間生産物を差し引いた**最終生産物**の価値額。

[2]……一国の1年間において**個人**と**企業**が新たに生産した所得。

[3]……**国籍**を問わず同一の政治領域内に**居住**する者によって生産された**最終生産物**の価値額。

2．三面等価の原則　A＝B＝C

A．生産面からみたGDP

GDP＝生産－中間投入（非耐久財やサービス）

B．支出面からみたGDP

GDP＝消費＋投資＋政府支出＋輸出入

C．分配面からみたGDP

GDP＝雇用者所得＋営業余剰（企業が得た所得）＋減価償却費＋間接税－補助金

3．経済成長率

経済成長率は，通常対前年（度）比のGDPであらわされる。一般的に物価の変動による影響分を引いた**実質経済成長率**が利用される。例えば実質経済成長率25%というのは，実質経済成長率が前年比[4]倍になったということである。

1. 国民総所得（GNI）
※従来のGNP（国民総生産）
2. 国民所得（NI）
3. 国内総生産（GDP）

4. 1.25

9 経済

10
社会・労働

1 家　　族

胎児	相続の権利（民法886条）
出生	出生届（戸籍法49条）
6歳	小学校・**義務教育学校**入学，**義務教育**開始（学校教育法17条）
12歳	小学校卒業
	中学校・中等教育学校入学
14歳	罪を犯すと処罰の対象となる（刑法41条）
15歳	中学校・**義務教育学校**卒業，**義務教育**終了（学校教育法17条）
18歳	成年，大人として扱われる（民法4条）
	婚姻可能となる（民法731条）　選挙権を有する（公職選挙法9条）
25歳	衆議院議員・地方議会議員等の被選挙権（公職選挙法10条）

〈婚姻〉

婚姻届を提出（民法739条）

子の出生……**14**日以内に**出生**の届出（戸籍法49条）
親権者となる（民法818条）
子の監護，教育の義務（民法820条，教育基本法5条）

30歳	参議院議員・知事の被選挙権（公職選挙法10条）
死亡	**7**日以内に**死亡**の届出（戸籍法86条）
	相続の開始（民法882条）

＊：「民法の一部を改正する法律」が2022年4月1日から施行。成年年齢を20歳から18歳に引き下げ（第4条），女性の婚姻開始年齢を16歳から18歳に引き上げ（第731条）。

A. 日本国憲法

第24条［婚姻，家族生活における個人の尊厳と両性の本質的平等］

①婚姻は，**両性の合意**のみに基いて成立し，**夫婦が同等**の権利を有することを基本として，相互の協力により，維持されなければならない。

②［ 1 ］の選択，財産権，相続，住居の選定，離婚並びに婚姻及び家族に関するその他の事項に関しては，法律は，個人の尊厳と**両性の本質的平等**に立脚して，制定されなければならない。

1. 配偶者

B. 民　法

第725条［親族の範囲］

次に掲げる者は，親族とする。

1　［ 2 ］親等内の血族　　2　配偶者

3　［ 3 ］親等内の姻族

第726条［親等の計算］

①親等は，親族間の世代数を数えて，これを定める。

②傍系親族の親等を定めるには，その1人又はその配偶者から同一の祖先にさかのぼり，その祖先から他の1人に下るまでの世代数による。

第821条　［子の人格の尊重等］（要旨）

親権者は，子の人格を尊重するとともに，子の年齢及び発達の程度に配慮しなければならず，かつ，［ 4 ］その他の，子の心身の健全な発達に有害な影響を及ぼす［ 5 ］をしてはならない。

第882条［相続開始の原因］

相続は，［ 6 ］によって開始する。

第900条［法定相続分］

同順位の相続人が数人あるときは，その相続分は，次の各号の定めるところによる。

1　子及び配偶者が相続人であるときは，子の相続分及び配偶者の相続分は，各2分の1とする。

問1　下図のa～cは「私」からみて何親等か。

問2　------ のような夫婦だけ又は夫婦と未婚の子からなる家族を何というか。

問3　「私」の父の1000万円の遺産を法定相続する場合，「私」の相続分はいくらか。ただし，父以外はすべて生存者である。

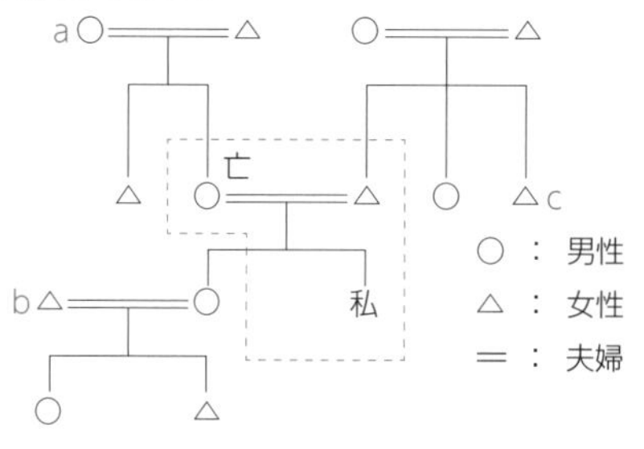

2. 6
3. 3
4. 体罰
5. 言動
6. 死亡

問1　a．2親等
b．2親等
c．3親等
問2　核家族
問3　250万円
注：親等（しんとう）は，夫婦が0，親子が1，兄弟姉妹は，生んだ親までさかのぼり計算する。

10 社会・労働

2 社会保障

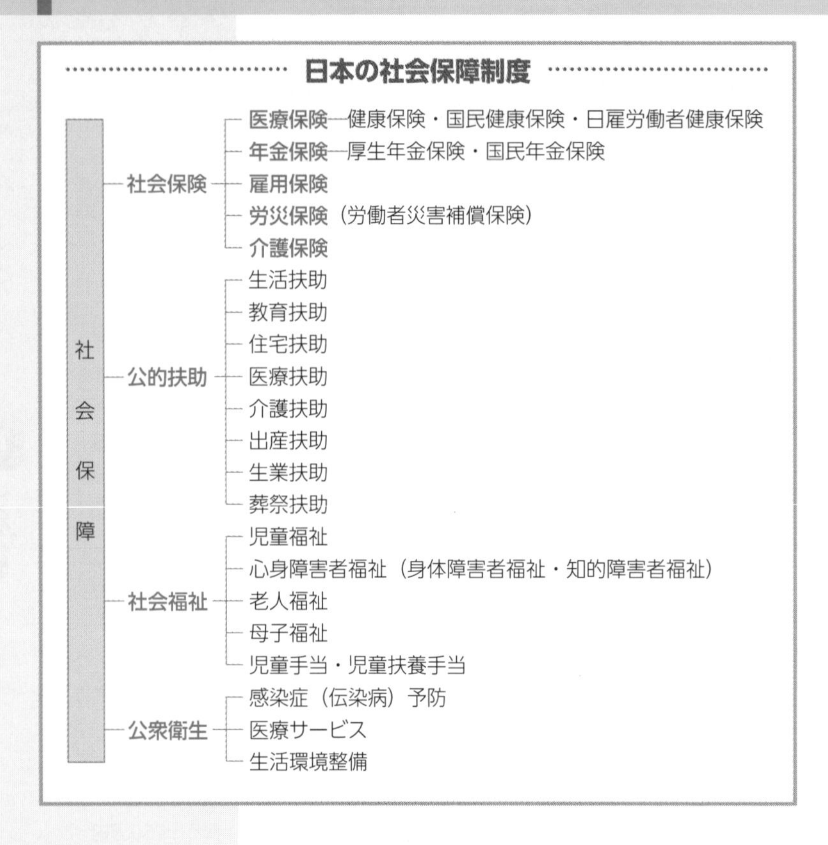

1. 健康
2. 最低限度
3. 社会保障

1．日本国憲法第25条

①すべて国民は，［1］で文化的な［2］の**生活**を営む権利を有する。

②国は，すべての生活部面について，**社会福祉**，［3］及び**公衆衛生**の向上及び増進に努めなければならない。

2．今後の問題点

①高齢社会問題，②環境問題，③年金格差，④心身障害者問題，⑤住宅問題などがある。

3 公害・環境

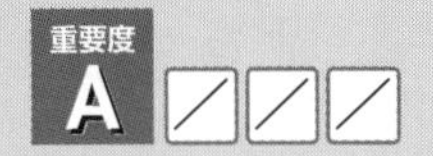

公害の歴史

1880頃（明治13）	足尾銅山鉱毒事件	
大正時代頃	イタイイタイ病	四大公害訴訟
1956頃（昭和31）	水俣病	四大公害訴訟
1960頃（昭和35）	四日市ぜんそく	四大公害訴訟
1965頃（昭和40）	新潟水俣病	四大公害訴訟
1971（昭和46）	環境庁設置（2001年環境省）	
1972（昭和47）	人間環境（ストックホルム）宣言「かけがえのない地球」	
1992（平成4）	地球サミットをブラジルで開催，気候変動枠組条約	
1993（平成5）	環境基本法制定	
2015（平成27）	SDGs（持続可能な開発目標）が国連サミット加盟国で採択	

▶公害との取り組み

国は**公害対策基本法**を制定し，1971年に［1］を設置した。地方公共団体は［2］を定めたり，企業と［3］を結んだりした。

1972年，スウェーデンの［4］で「**かけがえのない地球**」（Only One Earth）をスローガンに，［5］が開かれ，［6］が採択された。またこの年，経済協力開発機構（ＯＥＣＤ）は**汚染者負担原則**（ＰＰＰ）を確立した。これは公害防止費用は**発生企業**自身が負担し，政府の［7］支出は認めないという原則である。

1992年，ブラジルの［8］で「**国連環境開発会議**」（**地球サミット**）が開かれ，［9］，生物多様性条約，環境と開発に関する［10］宣言，行動計画「アジェンダ21」などが採択された。

▶環境問題

フロンガス使用による**オゾン層**破壊問題その他，自然の生態系を破壊する問題，砂漠化などがあげられる。

開発の際の十分な**環境アセスメント**（影響評価）が必要である。

1. 環境庁
2. 公害防止条例
3. 公害防止協定
4. ストックホルム
5. 国連人間環境会議
6. 人間環境（ストックホルム）宣言
7. 補助金
8. リオデジャネイロ
9. 地球温暖化防止条約
10. リオデジャネイロ

※容器包装リサイクル法（2000年），家電リサイクル法（'01年），建設資材リサイクル法（同），食品リサイクル法（同），資源有効利用法（同）。

4 労　働　Ⅰ

労働三法

⊙労働基準法（第1条）

①労働条件は，労働者が人たるに値する生活を営むための必要を充たすべきものでなければならない。

②この法律で定める労働条件の基準は最低のものであるから，労働関係の当事者は，この基準を理由として労働条件を低下させてはならないことはもとより，その向上を図るように努めなければならない。

⊙労働組合法（第1条）

この法律は，労働者が使用者との交渉において対等の立場に立つことを促進することにより労働者の地位を向上させること，労働者がその労働条件について交渉するために自ら代表者を選出することその他の団体行動を行うために自主的に労働組合を組織し，団結することを擁護すること並びに使用者と労働者との関係を規制する労働協約を締結するための団体交渉をすること及びその手続を助成することを目的とする。

⊙労働関係調整法（第1条）

この法律は，労働組合法と相俟って，労働関係の公正な調整を図り，労働争議を予防し，又は解決して，産業の平和を維持し，もって経済の興隆に寄与することを目的とする。

1．労働三権

①［ 1 ］……労働者が自己の社会的・経済的利益を守るために団体を組織する権利。

②［ 2 ］……労働者が団結し，自らの代表者を立てて自己の要求を貫徹するために使用者と交渉する権利。

③［ 3 ］……労働者が団結して使用者と交渉し，折り合いがつかない場合，組合の主張や要求を通そうとする。この目的で行う争議行為を保障した権利。

2．労働条件の基本原則（労働基準法より）

①労働条件の原則（1条参照。以下各条参照同じ）

労働基準法の基準は［ 4 ］のものである。

②労使対等の原則（2条）

労働者と使用者は［ 5 ］の立場である。

1. 団結権
2. 団体交渉権
3. 団体行動権（争議権）
4. 最低
5. 対等

③均等待遇の原則（3条）

国籍・信条・社会的身分を理由に，[6]，労働時間などで**差別**的扱いをしてはならない。

④男女同一賃金の原則（4条）

女性であることを理由に[7]に**差別**的取扱いをしてはならない。

⑤強制労働の禁止（5条）

暴行，脅迫，監禁その他精神又は身体の自由を不当に拘束する手段により，**意思**に反して**労働**を**強制**してはならない。

⑥中間搾取の排除（6条）

⑦公民権行使の保障（7条）

選挙などの**公民権**行使を**妨害**してはならない。

3．賃金支払いの原則（24条）

①賃金は，[8]で，**直接**労働者に，その**全額**を支払わなければならない。

②賃金は，毎月[9]回以上，一定の**期日**を定めて支払わなければならない。

4．最低年齢（56，57条）

①児童が満[10]歳に達した日以後の最初の3月31日が終了するまで，**労働者**として**使用**してはならない。

5．深夜業（61条）

①満[11]歳に満たない者を午後10時から午前5時までの間において使用してはならない。

6．危険有害業務の就業制限（62条）

①満[12]歳未満の者を，[13]な業務や重量物を取り扱う業務などに就かせてはならない。

②満[14]歳未満の者を，毒劇薬や爆発性の原材料などを取り扱う業務に就かせてはならない。

6. 賃金

7. 賃金
注：労働条件に対し違反がないか労働基準監督署が監督する。

8. 通貨

9. 1

10. 15

11. 18

12. 18
13. 危険
14. 18

5 労　働　Ⅱ

労働三権の適用

	団結権	団体交渉権	団体行動権
一般事業	あり	あり	あり
公益事業	あり	あり	あり
電気・石炭関係	あり	あり	あり
国営企業（林野）	あり	あり	なし
国家公務員（一般職）	あり	なし	なし
国家公務員（警察・消防・防衛・刑務所・海上保安庁）	なし	なし	なし
地方公務員（一般職）	あり	なし	なし
地方公務員（警察・消防）	なし	なし	なし
地方公営企業	あり	あり	なし

1．労働時間（労働基準法32条抄）

①使用者は，労働者に，休憩時間を除き１週間について［ 1 ］時間，１週間の各日については，１日について［ 2 ］時間を超えて，労働させてはならない。

2．休　憩（34条）

①使用者は，労働時間が６時間を超える場合においては少くとも［ 3 ］分，８時間を超える場合においては少くとも［ 4 ］時間の休憩時間を労働時間の途中に与えなければならない。

3．休　日（35条）

①使用者は，労働者に対して，毎週少くとも［ 5 ］回の休日を与えなければならない。

②前項の規定は，４週間を通じ［ 6 ］日以上の休日を与える使用者については適用しない。

4．不当労働行為

①団結権の侵害

②［ 7 ］の侵害

1. 40
2. 8
3. 45
4. 1
5. 1
6. 4
7. 団体交渉権

③労働組合の自主性の侵害

④労働者が[8]について申し立てる場合などの侵害

8. 不当労働行為

5．労働争議

①同盟罷業……[9]

9. ストライキ

②怠業（サボタージュ）

③ピケッティング（見張り）

④ロック・アウト（事業所閉鎖）……使用者の対抗手段。

6．労働関係の調整

[10]……当事者の**自主**的解決を目的とし，単に交渉をとりもつのみ。**解決案**を作ることはしない。

10. 斡旋

[11]……**調停委員会**が**調停案**を提示。**調停案**を受諾するかどうかは**当事者**の自由。

11. 調停

[12]……**仲裁委員会**が**仲裁案**を提示。**労使**は**仲裁案**に拘束され，これを拒否することはできない。

12. 仲裁

労働契約と労働協約：労働契約は使用者と労働者の間に結ばれる契約。労働協約は使用者と労働組合との間に結ばれる契約。労働協約のほうが優先される。

無期労働契約への転換：2012年の労働契約法改正で，2013年4月1日以降に有期労働契約をした者がその契約が5年を超えた場合に無期労働契約への転換を申し込めることとなったが，雇止めの発生など契約にかかわるトラブルも指摘されている。

働き方改革：少子高齢化やニーズの多様化などの課題に対応するため，働く人々が個々の事情に応じた多様で柔軟な働き方，ワーク・ライフ・バランスを実現できるよう，働き方改革が打ち出され，関係法令の改正整備，「労働時間法制の見直し」や「雇用形態に関わらない公正な待遇の確保」が示された。

テレワーク：労働者が情報通信技術を利用して行う事業場外の勤務形態を指す。昨今，労働時間や働く場所の柔軟な捉え方，通勤時間の短縮と心身の負担軽減，雇用側の業務効率化と労働者の実情に応じたワーク・ライフ・バランス（育児，介護等と仕事の両立など）に対応する働き方としても考えられる。

パワーハラスメント：職場におけるパワーハラスメントとは，職場において行われる①優越的な関係を背景とした言動であって，②業務上必要かつ相当な範囲を超えたものにより，③労働者の就業環境が害されるものであり，①～③までの要素を全て満たすものとされる。パワーハラスメント防止措置は，事業主の義務となっている。

育児・介護休業法：「育児休業，介護休業等育児又は家族介護を行う労働者の福祉に関する法律（2020年）」。子育てや介護などの家庭状況から時間的制約を抱えている時期にある労働者について，仕事と家庭の両立支援推進を目的に施行された。時間単位の休暇取得を可能とする改正や，男性の育児休業取得促進のための改正などが継続されている。

治療と仕事の両立支援：労働安全衛生法では事業者による労働者の健康確保対策に関する規定がされており，健康診断の実施ほか，業務に従事することで疾病・負傷を発症したり増悪することの防止措置などを事業所に求めている。人生100年時代ともいわれるこれからの社会において，治療と仕事の両立を図るための取組は，健康確保とともに，継続的な人材確保，労働者の安心感やモチベーション向上，多様な人材活用，事業の活性化といった意義もあると考えられており，厚生労働省からは両立支援のガイドライン等が発出されている。

学校における働き方改革：教員勤務実態調査などから，看過できない教師の厳しい勤務実態が明らかとなっている。このため文部科学省では教師のこれまでの働き方を見直す，学校における働き方改革を進めている。

11

数　学

1 数と計算（1）

1．方程式

例　題

▶ **1次方程式の解法**

◇$\frac{1}{2}x+4=\frac{1}{5}x-2$　を解け。　　両辺を10倍して，分母をはらう。

$5x+40=2x-20$　xを左辺へ**移項**して，まとめる。

$3x=-60$

$x=-20$

▶ **2次方程式の解法**

◇$4x^2-7x+3=0$を解け。

（**因数分解**による方法）

$4x^2-7x+3=0$

$(4x-3)(x-1)=0$

$\therefore x=1,\ \frac{3}{4}$

◇$3x^2-5x-1=0$を解け。

（**解の公式**による方法）

$x=\frac{-b\pm\sqrt{b^2-4ac}}{2a}$　を利用

$3x^2-5x-1=0$

$x=\frac{5\pm\sqrt{25-(-12)}}{2\times3}=\frac{5\pm\sqrt{37}}{6}$

(1)　$x=2,\ -\frac{1}{2}$

(2)　$x=-\frac{3}{4}$

(3)　$x=-\frac{1}{2},\ -3$

(4)　$x=\frac{3}{2}$

(1)　$2x^2-3x-2=0$

(2)　$2x^2+3x+\frac{9}{8}=0$

(3)　$2x^2+7x+3=0$

(4)　$4x^2-12x+9=0$

2．二重根号

例　題

◇$\sqrt{8\pm2\sqrt{15}}$の**二重根号**をはずせ。

$5+3=8,\ 5\times3=15$だから

$\sqrt{8\pm2\sqrt{15}}=\sqrt{5+3\pm2\sqrt{5\times3}}=\sqrt{5}\pm\sqrt{3}$

(1)　$\sqrt{7}+\sqrt{5}$

(2)　$2+\sqrt{13}$

(1)　$\sqrt{12+2\sqrt{35}}$

(2)　$\sqrt{17+4\sqrt{13}}$

3．連立方程式

例　題

▶**連立方程式の解法**

◇次の連立方程式の解を求めよ。

$$\begin{cases} -x+3y-2z=9 & \cdots\cdots① \\ 3x-4y+5z=-5 & \cdots\cdots② \\ x+y+4z=3 & \cdots\cdots③ \end{cases}$$

①＋③（xを消去）

$$\begin{array}{rl} & -x+3y-2z=9 \\ +) & x+y+4z=3 \\ \hline & 4y+2z=12 \quad \cdots\cdots④ \end{array}$$

①×3＋②

$$\begin{array}{rl} & -3x+9y-6z=27 \\ +) & 3x-4y+5z=-5 \\ \hline & 5y-z=22 \quad \cdots\cdots⑤ \end{array}$$

④＋⑤×2

$$\begin{array}{rl} & 4y+2z=12 \\ +) & 10y-2z=44 \\ \hline & 14y=56 \end{array}$$

$\therefore y=4$

④に代入

$16+2z=12 \quad \therefore z=-2$

$y=4$，$z=-2$ を①に代入

$-x+12+4=9$

$x=7$

$\therefore x=7$，$y=4$，$z=-2$

(1) $\begin{cases} x+y=13 \\ 2x-y=5 \end{cases}$

(2) $\begin{cases} x+y+z=144 \\ 3x-2y=0 \\ 4y-3z=0 \end{cases}$

(1)　$x=6$，$y=7$
(2)　$x=32$，$y=48$，$z=64$

11 数学

4．最大公約数，最小公倍数

例　題

▶**最大公約数（G．C．M）と最小公倍数（L．C．M）の求め方**

◇12と18の最大公約数，最小公倍数を求めよ。

①
$$\begin{array}{r|rr} 2 & 12 & 18 \\ \hline 3 & 6 & 9 \\ \hline & 2 & 3 \end{array}$$

最大公約数　$2\times3=6$
最小公倍数　$2\times3\times2\times3=36$

②素因数分解の利用

$12=2^2\times3$
$18=2\times3^2$
→ 最大公約数　$2\times3=6$
　 最小公倍数　$2^2\times3^2=36$

(1)　8，56，140の最小公倍数を求めよ。
(2)　24，60，84の最大公約数を求めよ。

(1)　280
(2)　12

2 数と計算（2）

1．食塩水

▶食塩水の濃度の求め方

$$\frac{溶質}{溶液（溶媒＋溶質）}\times 100 \longrightarrow \frac{食塩}{食塩水（水＋食塩）}\times 100$$

例　題

◇水96 g，食塩4 gの食塩水の濃度を求めよ。

$\frac{4}{96+4}\times 100 = 4\%$　　Ans. 4%

◇8%の食塩水100 gと，5%の食塩水200 gをまぜると何%の食塩水ができるか。

8%の食塩水100g中の食塩の重さは⟶$0.08\times 100 = 8$g

5%の食塩水200g中の食塩の重さは⟶$0.05\times 200 = 10$g

$\frac{8+10}{100+200}\times 100 = 6$　　Ans. 6%

⑴　4%の食塩水200gと，10%の食塩水400gをまぜると何%の食塩水になるか。

⑴　8%

2．2次方程式の解の和と積

$ax^2+bx+c=0$の，2つの解をそれぞれα，βとすると，

$$\alpha+\beta=-\frac{b}{a} \qquad \alpha\beta=\frac{c}{a}$$

例　題

◇$2x^2+3x-1=0$の，2つの解の和と積を求めよ。

（和）　$\alpha+\beta=-\frac{3}{2}$

（積）　$\alpha\beta=\frac{-1}{2}=-\frac{1}{2}$　　Ans. 和$-\frac{3}{2}$，積$-\frac{1}{2}$

⑴　2次方程式$2x^2+4x+3=0$の2根をα，βとして，次の値を求めよ。

①　$\alpha^2\beta+\alpha\beta^2$

②　$\alpha^2+\beta^2$

①　-3

②　1

3．数列の和

$$\sum_{k=1}^{n} k = 1 + 2 + 3 + \cdots\cdots + n = \frac{n(n+1)}{2}$$

$$\sum_{k=1}^{n} k^2 = 1^2 + 2^2 + 3^2 + \cdots\cdots + n^2 = \frac{n(n+1)(2n+1)}{6}$$

$$\sum_{k=1}^{n} k^3 = 1^3 + 2^3 + 3^3 + \cdots\cdots + n^3 = \left\{\frac{n(n+1)}{2}\right\}^2$$

例　題

◇1から30までの和を求めよ。

$\frac{30(30+1)}{2} = 465$　　Ans.　465

⑴　1から100までの和を求めよ。

⑵　$1^2 + 2^2 + 3^2 + \cdots\cdots + 30^2$

⑶　$1^3 + 2^3 + 3^3 + \cdots\cdots + 30^3$

⑴　5050

⑵　9455

⑶　216225

4．速　度

$x = vt$（x＝移動距離，v＝速度，t＝時間）

例　題

◇45分間に，自動車で48km進んだ。この車の平均時速を求めよ。

45分$=\frac{3}{4}$時間，$v=\frac{x}{t}$より　$v = 48 \div \frac{3}{4} = 64$km/h

Ans.64km/h

▶平均の速さ

◇ある区間を自転車で往復するのに，行きは平均18km/h，帰りは平均12km/hの速さで走った。往復の平均の速さを求めよ。

この区間の距離をxとすると，往復したのだから，$2x$となる。

かかった時間は，行きが$\frac{x}{18}$，帰りが$\frac{x}{12}$

$v=\frac{x}{t}$より，$v = 2x \div \left(\frac{x}{18} + \frac{x}{12}\right) = \frac{2x \times 36}{5x} = 14.4$

Ans.　14.4km/h

⑴　平均時速40kmで走る自動車が，300km離れた地点まで行くとする。かかる時間を求めよ。

⑵　平均時速120kmで走っている長さ40mの列車が，360mのトンネルを通過し始めてから通過し終わるまでに要する時間を求めよ。

⑴　7.5時間（7時間30分）

⑵　12秒

3 式の展開，因数分解，不等式

1．式の展開

展開公式
① $(a+b)^2=a^2+2ab+b^2$
② $(a-b)^2=a^2-2ab+b^2$
③ $(a+b)(a-b)=a^2-b^2$
④ $(x+a)(x+b)=x^2+(a+b)x+ab$
⑤ $(a+b)^3=a^3+3a^2b+3ab^2+b^3$
⑥ $(a-b)^3=a^3-3a^2b+3ab^2-b^3$
⑦ $(a+b+c)^2=a^2+b^2+c^2+2ab+2bc+2ca$
⑧ $(a+b)(a^2-ab+b^2)=a^3+b^3$
⑨ $(a-b)(a^2+ab+b^2)=a^3-b^3$

(1) $(-b+a)^2$
(2) $(3-x)(2-x)$
(3) $(3x-2y)^3$
(4) $(x+y+z)^2$
(5) $(x+5)(x^2-5x+25)$
(6) $(2x-3y)(4x^2+6xy+9y^2)$

(1) $b^2-2ab+a^2$
(2) $6-5x+x^2$
(3) $27x^3-54x^2y+36xy^2-8y^3$
(4) $x^2+y^2+z^2+2xy+2yz+2zx$
(5) x^3+125
(6) $8x^3-27y^3$

2．因数分解

因数分解の公式（複号同順）
① $ta\pm tb\pm tc=t(a\pm b\pm c)$
② $a^2\pm 2ab+b^2=(a\pm b)^2$
③ $a^2-b^2=(a+b)(a-b)$
④ $x^2+(a+b)x+ab=(x+a)(x+b)$
⑤ $acx^2+(bc+ad)x+bd=(ax+b)(cx+d)$
⑥ $a^3\pm b^3=(a\pm b)(a^2\mp ab+b^2)$
⑦ $a^3\pm 3a^2b+3ab^2\pm b^3=(a\pm b)^3$

(1) $32x^4-18x^2$
(2) $27x^3-1$
(3) $2x^2-5xy-3y^2+3x+5y-2$

(1) $2x^2(4x+3)(4x-3)$
(2) $(3x-1)(9x^2+3x+1)$
(3) $(2x+y-1)(x-3y+2)$

(4) $48x^2-22xy-15y^2$

(5) x^4-x^2-1+2x

(4) $(6x-5y)(8x+3y)$

(5) $(x^2+x-1)(x^2-x+1)$

3．不等式

▶不等式の解法

○**不等号**（<，>）の向き……両辺に負の数（−）をかけたり，負の数で割ったときは**不等号**の向きが**逆**になる。

例　題

◇$-3x+7>16$ を解け。

$-3x>9$

両辺を−3で割る。（**不等号**の向きが**逆**になる。）

$x<-3$

(1) $3x+5>2$

(2) $x^2-5x+4<0$

(3) $x^2-x-6>0$

(4) $x^2-2x-1<0$

(1) $x>-1$

(2) $1<x<4$

(3) $x<-2,\ 3<x$

(4) $1-\sqrt{2}<x<1+\sqrt{2}$

4．連立不等式

例　題

◇次の**連立不等式**の解を求めよ。

$$\begin{cases} 4x-8<x+1 & \cdots\cdots ① \\ 3x+4<5x+8 & \cdots\cdots ② \end{cases}$$

①より

$4x-x<1+8$

$3x<9$

$x<3$

②より

$3x-5x<8-4$

$-2x<4$

$x>-2$

①の解の集合　②の解の集合

-4 -3 -2 -1 0 1 2 3 4 5 6 7

Ans. $-2<x<3$

(1) $\begin{cases} \dfrac{2x}{3}-1\leqq\dfrac{x-1}{2} \\ 7x-11<9x-4 \end{cases}$

(2) $\begin{cases} 2x+3>x+2 \\ 3x>4x+2 \end{cases}$

(3) $2x+1\leqq x+5<3x+4$

(1) $-3.5<x\leqq 3$

(2) 解なし

(3) $\dfrac{1}{2}<x\leqq 4$

4 図　形

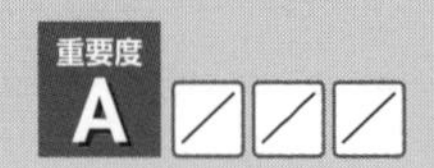

1．円周角・中心角

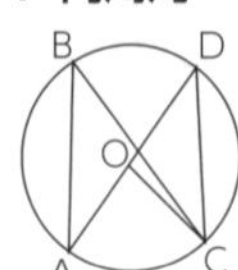

円周角……∠ABC＝∠ADC
1つの孤の上に立つ円周角は，すべて等しい。
中心角……∠AOC＝2∠ABC
同じ孤の中心角は，円周角の2倍。

例　題

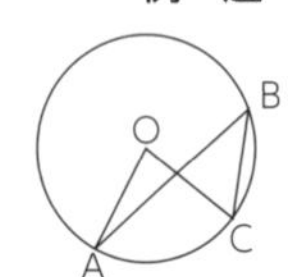

◇∠ABC＝30°のとき，∠AOCは何度か。
∠AOCは，中心角で，円周角の2倍。
30°×2＝60°

Ans. 60°

(1)

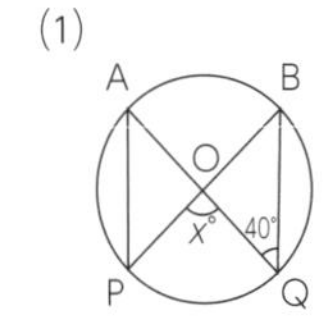

∠BQO＝40°のとき
∠POQ＝（　　　）

(2)

∠DBC＝50°
∠DCB＝35°のとき
∠OAD＝（　　　）

(1)　80°

(2)　15°

2．2点間の距離

例　題

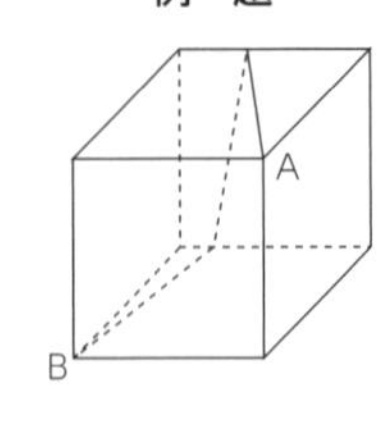

◇一辺が2cmの立方体の頂点A，Bを左の図のように結ぶとき，線分ABが最も短くなるときの長さを求めよ。

左の立方体の展開図を書くと，下の図のようになる。
このとき，点A，Bの最短距離は直線となる。

$AB=\sqrt{2^2+6^2}$
$=2\sqrt{10}$cm

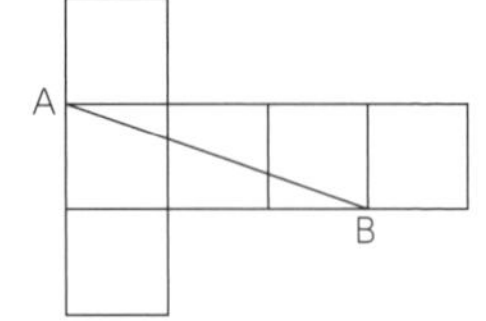

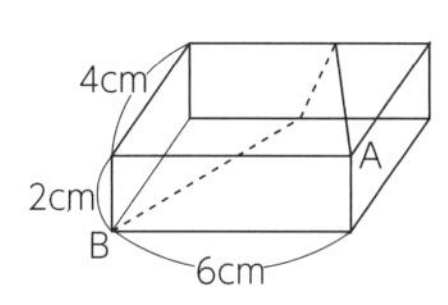

(1)　直方体の点Aと点Bを図のように結ぶとき，線分ABの長さが最も短くなるときの長さを求めよ。

(1)　$2\sqrt{34}$cm

3．三角形の辺の長さ

例　題

◇**次の三角形で，BC//DEのとき，DEの長さを求めよ。**

△ABCと△ADEは**相似**である。DEをxとすると

$10:5=6:x$　　$10x=30$　　$x=3$cm

◇**左下の三角形で，AC//DE，CD//EF，BF＝10cm，FD＝5cmのとき，ADの長さを求めよ。**

△BDEと△BAC，△DEFと△ACDはそれぞれ**相似**。ADをxとすると

$(10+5+x):(10+5)=x:5$

$15x=75+5x$　　$10x=75$

$x=7.5$cm

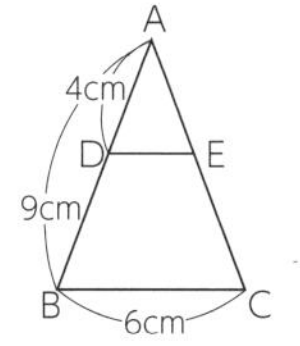

(1)　左の三角形で，BC//DEである。DEの長さを求めよ。

(1)　$\frac{8}{3}$cm

数学

4．三角形の面積（S：面積）

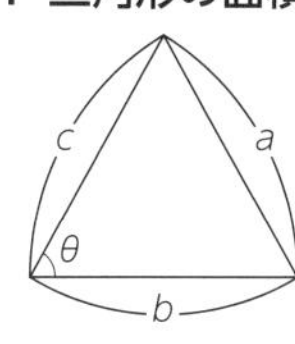

3辺の長さがわかっているとき。

$$S=\sqrt{s(s-a)(s-b)(s-c)}$$

ただし，$s=\frac{1}{2}(a+b+c)$

※**2辺**とその間の**角**がわかっているとき。

$$S=\frac{1}{2}bc\sin\theta$$

▶**次の三角形の面積を求めよ。**

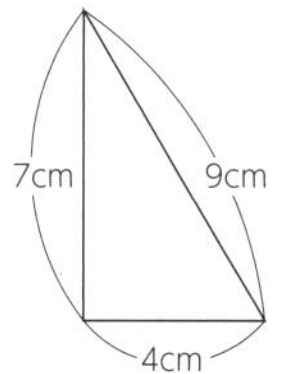

(2)

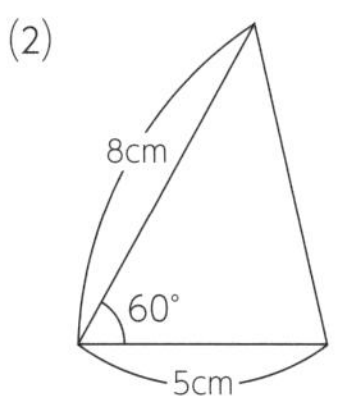

(1)　$6\sqrt{5}$cm²

(2)　$10\sqrt{3}$cm²

5 関数とグラフ

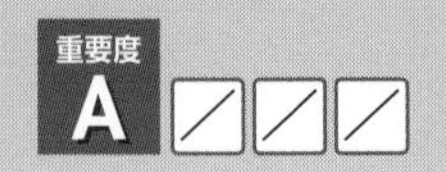

1．グラフの交点

例　題

◇斜線部の面積を求めよ。（座標上1を1cmとする）

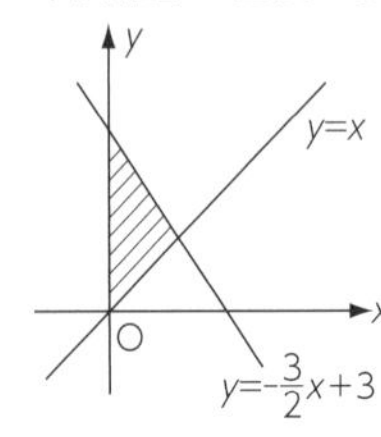

$y=x$ と $y=-\frac{3}{2}x+3$ の**交点**の**座標**を求める。

$x=-\frac{3}{2}x+3$　　$x=\frac{6}{5}$

斜線部は，**底辺**の長さが3，**高さ**が $\frac{6}{5}$ の三角形。

$3\times\frac{6}{5}\times\frac{1}{2}=\frac{9}{5}$　　Ans. $\frac{9}{5}$ cm²

◇次のグラフの交点の座標を求めよ。

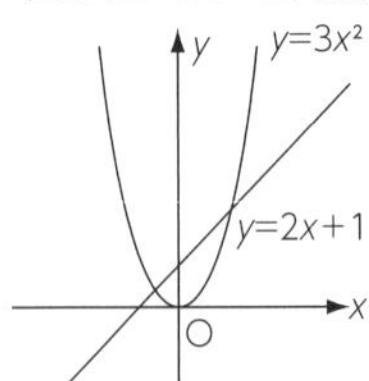

$3x^2=2x+1$

$3x^2-2x-1=0$

$(3x+1)(x-1)=0$　　$x=-\frac{1}{3}$，1

$y=-\frac{2}{3}+1=\frac{1}{3}$，$y=2+1=3$

Ans. $\left(-\frac{1}{3},\ \frac{1}{3}\right)$，(1，3)

(1)　4cm²

(1)　斜線部の面積を求めよ。
（座標上1を1cmとする）

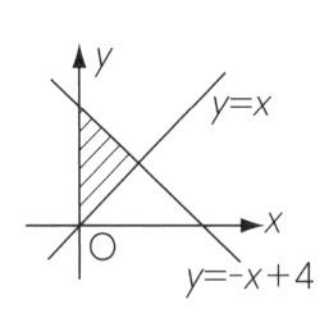

(2)　A (1，1)
B $\left(-\frac{7}{5},\ \frac{49}{25}\right)$

(2)　$y=x^2$ と，$y=-\frac{2}{5}x+\frac{7}{5}$ の交点を，それぞれA，Bとする。A，Bの座標を求めよ。

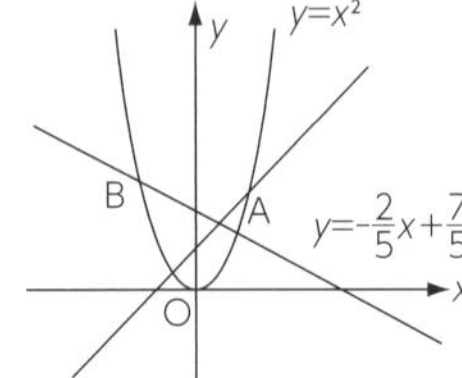

2．逆関数

例　題

◇$y=3x+1$の逆関数を求めよ。

$y=3x+1$

$-3x=-y+1$

$x=\frac{y-1}{3}$…………（$x=\sim$　の形になおす）

xとyを入れかえる。

$y=\frac{x-1}{3}$

(1)　$y=\frac{1}{3}x-2$

(2)　$y=x^2+1$

(1)　$y=3x+6$

(2)　$y=\sqrt{x-1}$
（定義域$\{x|x\geqq 1\}$）

3．対数関数

$y=a^x \Longleftrightarrow x=\log_a y$

$(\log_a 1=0,\ \log_a a=1)$

例　題

◇次の等式を$y=a^x$の形に直せ。

$\log_3 27=3 \longrightarrow 27=3^3$

(1)　$\log_5 25=2$

(2)　$\log_{\frac{1}{3}} 27=-3$

(1)　$25=5^2$

(2)　$27=\left(\frac{1}{3}\right)^{-3}$

▶対数関数の公式

〔Ⅰ〕　$\log_a MN=\log_a M+\log_a N$

〔Ⅱ〕　$\log_a \frac{M}{N}=\log_a M-\log_a N$

〔Ⅲ〕　$\log_a M^r=r\log_a M$

▶底の変換公式

$\log_a b=\frac{\log_c b}{\log_c a}$

(1)　$\log_2 \frac{4}{3}+2\log_2\sqrt{12}$

(2)　$\log_5 10-\log_5 \frac{2}{\sqrt{5}}$

(3)　$\frac{\log_3 32}{\log_3 8}$

(1)　4

(2)　$\frac{3}{2}$

(3)　$\frac{5}{3}$

11
数学

6 三角関数，確率

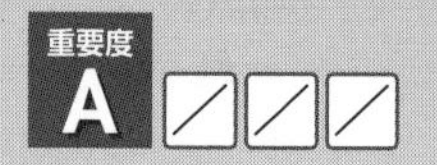

1. $\frac{\sqrt{2}}{2}$　2. $\frac{\sqrt{3}}{2}$

3. $\frac{\sqrt{3}}{2}$　4. $\frac{1}{2}$

5. $\frac{\sqrt{3}}{3}$　6. 1

7. $\cos\theta$

8. 1

9. $\cos\theta$

10. $\sin\theta$

11. $2R$（R は △ABC の外接円の半径を表す）

1．三角関数

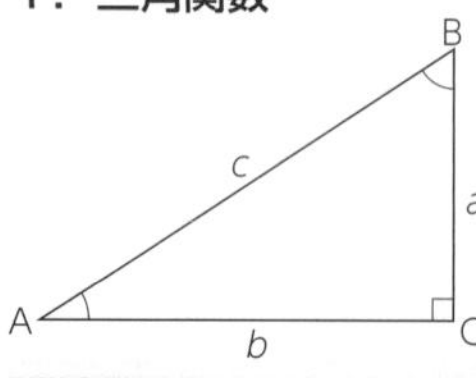

Ⅰ．$\sin A = \frac{a}{c}$

Ⅱ．$\cos A = \frac{b}{c}$

Ⅲ．$\tan A = \frac{a}{b}$

	30°	45°	60°
sin	$\frac{1}{2}$	1	2
cos	3	$\frac{\sqrt{2}}{2}$	4
tan	5	6	$\sqrt{3}$

2．三角形の性質

(1)　$\tan\theta = \frac{\sin\theta}{\boxed{7}}$

(2)　$\sin^2\theta + \cos^2\theta = \boxed{8}$

(3)　$\sin\left(\frac{\pi}{2} - \theta\right) = \boxed{9}$

(4)　$\cos\left(\frac{\pi}{2} - \theta\right) = \boxed{10}$

(5)　$\frac{a}{\sin A} = \frac{b}{\sin B} = \frac{c}{\sin C} = \boxed{11}$

3．順　列

▶n 個の異なるものから，異なる r 個をとって1列に並べたもの。

$${}_nP_r = n(n-1)(n-2)\cdots\cdots(n-r+1)$$
$$= \frac{n!}{(n-r)!}$$

例　題

◇6人のなかから4人を選んで1列に並べる方法は何通りあるか。

${}_6P_4 = \frac{6\times5\times4\times3\times2\times1}{2\times1} = 360$　　Ans. 360通り

(1)　1，2，3，4，5，6のうち，異なる3個の数字を使ってできる3けたの数は何通りあるか。

[12]

12. 120通り

例　題

◇1，1，1，2，2，3の数字のすべてを使ってできる6けたの数字は何通りあるか。

$$\frac{6\times5\times4\times3\times2\times1}{3\times2\times1\times2\times1\times1}=60$$

Ans. 60通り

(2)　x，x，x，x，y，y，y，z，zの文字を使って作られる順列の総数は[13]通りである。

13. 1260

4．組合せ

▶n個の**異なる**ものからr個のものを取り出す場合の**組合せ**の数。

$${}_nC_r=\frac{{}_nP_r}{r\,!}=\frac{n(n-1)(n-2)\cdots\cdots(n-r+1)}{r\,!}=\frac{n\,!}{r\,!(n-r)!}$$

例　題

◇10人のなかから，4人を選ぶ方法は何通りあるか。

$${}_{10}C_4=\frac{10\times9\times8\times7}{4\times3\times2\times1}=210$$

Ans. 210通り

(1)　45人のクラスのなかから，学級委員を2人選ぶ方法は[14]通りである。

14. 990

例　題

◇袋のなかに白球5個，赤球7個がある。そのなかから2個を同時に取り出すとき，2個とも白球である確率を求めよ。

$$\frac{{}_5C_2}{{}_{12}C_2}=\frac{\dfrac{5\times4}{2}}{\dfrac{12\times11}{2}}=\frac{10}{66}=\frac{5}{33}$$

Ans. $\frac{5}{33}$

(2)　袋のなかに白球6個，赤球10個がはいっている。そのなかから2個を同時に取り出すとき，次の確率を求めよ。

(a)　2個とも白球である確率[15]

(b)　2個とも赤球である確率[16]

(c)　1個が白球，1個が赤球である確率[17]

15. $\frac{1}{8}$

16. $\frac{3}{8}$

17. $\frac{1}{2}$

11 数学

12
物　　理

1 力のつりあい

1．力のモーメント

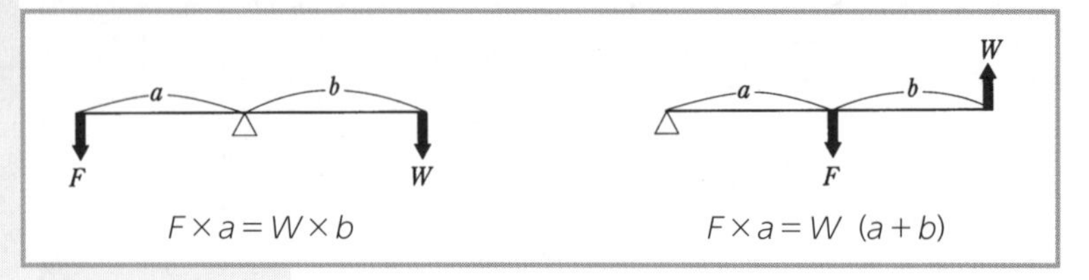

▶つりあうためには何N必要か。

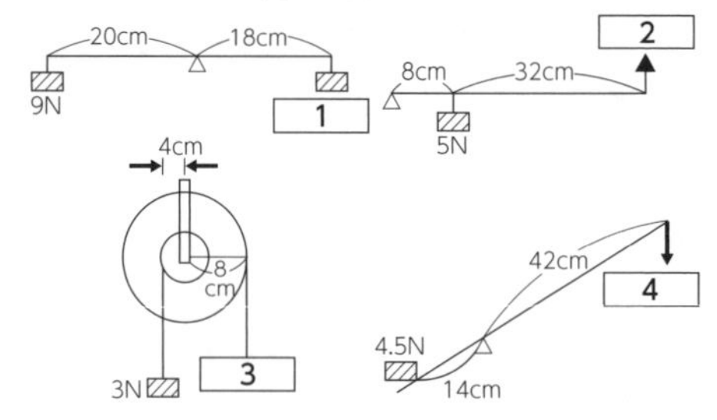

1. 10N
2. 1N
3. 1.5N
4. 1.5N

2．滑　車

○力の加える方向を変える。
○力の大きさは変わらない。

（動滑車）

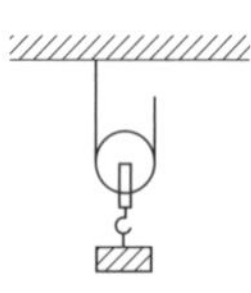

○加える力の大きさを半分にする。
○ひもを引く長さが2倍になる。

▶つりあうためには何N必要か。（ただし，滑車の重さは無視する。）

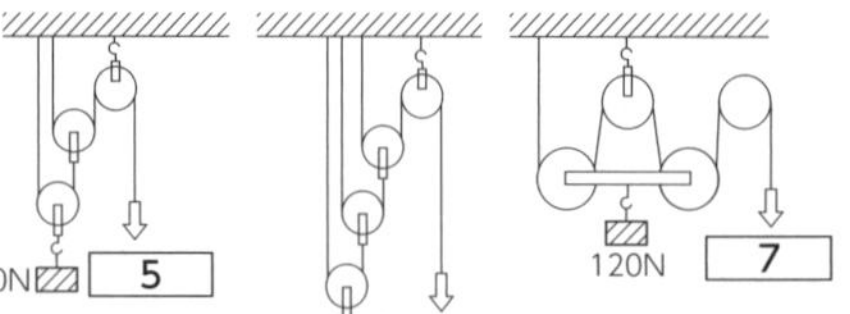

5. 15N
6. 20N
7. 30N

3．ば　ね

○ばねの**伸びた長さ**は**加えた力の大きさ**に**比例**する。加えた力が2倍，3倍になると伸びも2倍，3倍となる。

▶50Nの重りをつるすと全長が15cm，100Nの重りをつるすと全長が18cmになるばねがある。このばねに150Nの重りをつるすと全長が［8］になる。また，このばねのもとの長さは［9］である。

8. 21cm
9. 12cm

▶10Nの重りをつるすと，2cm伸びるばねがある。下の図の場合，伸びは何cmか。

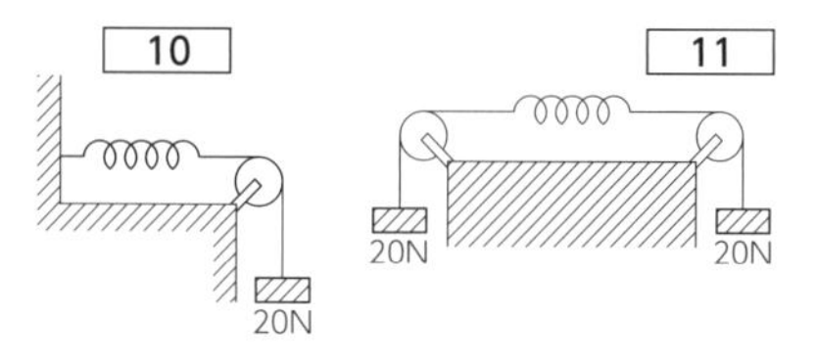

10. 4cm
11. 4cm

4．圧　力

○**単位面積**あたりに働く力を**圧力**という。単位は1パスカル(Pa)＝1N/m^2

▶下の図でつりあうためには何N必要か。

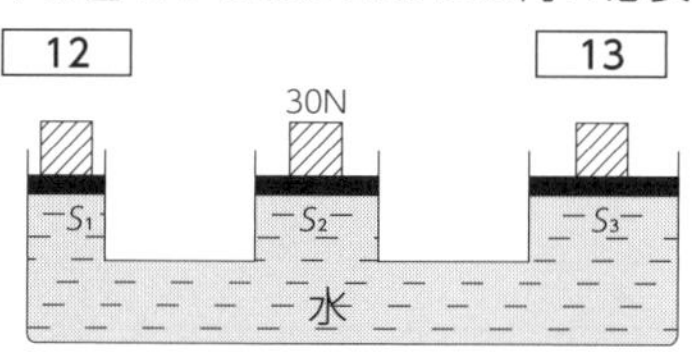

面積比　$S_1 : S_2 : S_3 = 2 : 3 : 4$

12. 20N
13. 40N

5．浮　力

○水中では，その物体がおしのけた液体の**質量**の分だけ軽くなる。これを**浮力**という。

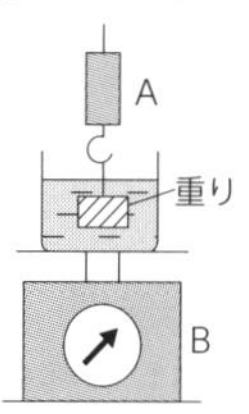

▶水を入れたビーカー（1500g）に，100cm^3の重りを入れた。重りの密度は5g/cm^3である。

(1)　ばねばかりAの目盛りは［14］をさす。

(2)　台ばかりBの目盛りは［15］をさす。

14. 400g
15. 1600g

12 物理

2 物体の運動

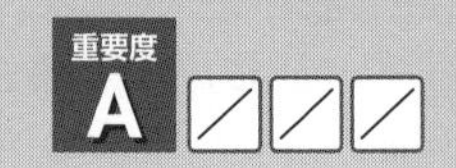

1．斜面の物体

○物体が静止しているとき，
$W\sin\theta = F$，$W\cos\theta = N$ が成り立つ。
（W：重力，$W\sin\theta$：斜面にそって落ちる力，
$W\cos\theta$：斜面を垂直に押す力，N：垂直抗力，
F：摩擦力）

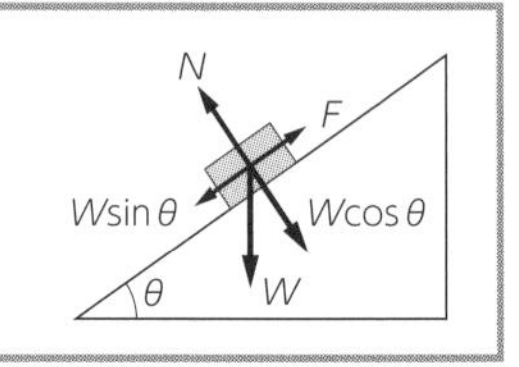

1. 1N
2. 1N
3. √3N

▶右の図の物体は静止している。それぞれの力を求めよ。

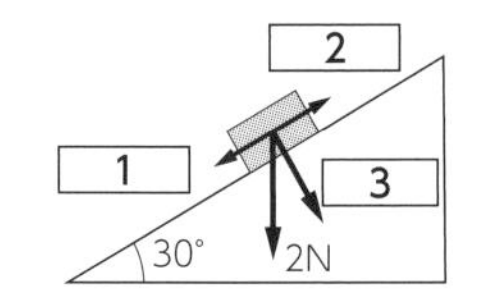

2．力のつりあい

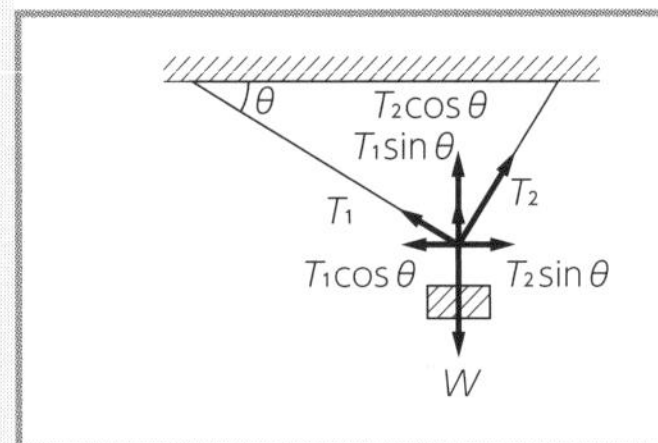

○水平方向
$T_1\cos\theta = T_2\sin\theta$
○垂直方向
$T_1\sin\theta + T_2\cos\theta = W$

4. 12N
5. 16N

▶下の図の糸の張力を求めよ。

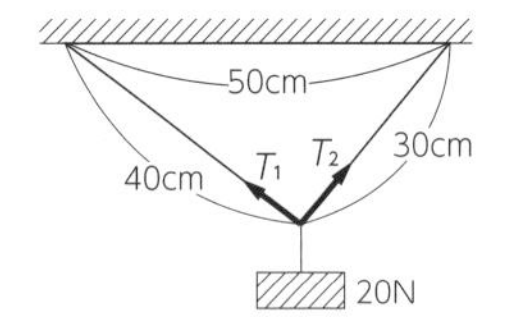

$T_1 =$ 4
$T_2 =$ 5

3．等速直線運動

○一直線上を一定速度vで進む運動。
$a = 0$，$v =$一定，$x = vt$　（$a =$加速度，$x =$移動距離，$t =$時間）

6. 280km

▶時速70kmで走っている自動車が，4時間で移動する距離は［ 6 ］である。

4．等加速度直線運動

○一直線上を一定の加速度aで進む運動。

a＝一定，$v = v_0 + at$　　$x = v_0t + \frac{1}{2}at^2$　　$v^2 - v_0{}^2 = 2ax$

▶**静止**していた自動車が一定の加速度で動き出し，２秒後，３m/sの速さになった。このときの**加速度**aは，
$v = v_0 + at$より……［7］である。

▶自動車が動き出してから一定の割合で**加速**し，５秒間に25m進んだ。このときの**加速度**aは，
$x = v_0t + \frac{1}{2}at^2$より……［8］である。

▶14m/sの速さで進んでいる自動車が一定に**加速**し，60m進む間に20m/sの速さになった。このときの**加速度**aは，$v^2 - v_0{}^2 = 2ax$より……［9］である。

7. 1.5m/s^2
8. 2m/s^2
9. 1.7m/s^2

5．ニュートンの運動の３法則

第一法則（**慣性の法則**）：外部から力が働かなければ，**静止**していた物体はいつまでも**静止**し，**運動**していた物体はその**状態**を続ける。
第二法則（**運動の法則**）：物体に生じる**加速度**は，方向は**力の方向**と同じで，大きさは**力の大きさ**に**比例**し物体の**質量**に**反比例**する。
（**運動方程式**　$F = ma$）　（mは質量，aは加速度，Fは合力）
第三法則（**作用・反作用の法則**）：物体Aが物体Bに力を及ぼすとき，物体Bは物体Aに対して，**大きさ**が等しく，**向き**が反対の力を及ぼし返す。
○力の単位として，N（**ニュートン**）をつかう。1kgf≒9.8N

▶水平面上に**静止**している質量１kgの物体に３Nの力を加えた。物体の**加速度**は［10］である。また，この力を５秒間加えていると，速さは［11］になる。

▶質量５kgの物体が9.8m/s^2の**加速度**で運動しているとき，はたらいている力は［12］である。また，それは［13］である。

10. 3m/s^2
11. 15m/s^2
12. 49N
13. 5kgf

12 物理

3 電　　気

重要度 A

1．電圧 V，抵抗 R，電流 I の関係

$$V=IR$$

▶4Ωの**抵抗**の両端に8Vの**電圧**をかけたとき，流れる**電流**の大きさを求めよ。［ 1 ］

▶ある**抵抗**の両端に10Vの**電圧**をかけたとき，5Aの**電流**が流れた。この**抵抗**を求めよ。［ 2 ］

2．抵　抗

▶**電気抵抗**の大きさは，導線の断面積に［ 3 ］し，導線の長さに［ 4 ］する。

▶4Ωの**抵抗**を2倍に引きのばしたときの**抵抗**を求めよ。〈2倍に引きのばすと，長さは2倍，断面積は2分の1になる〉［ 5 ］

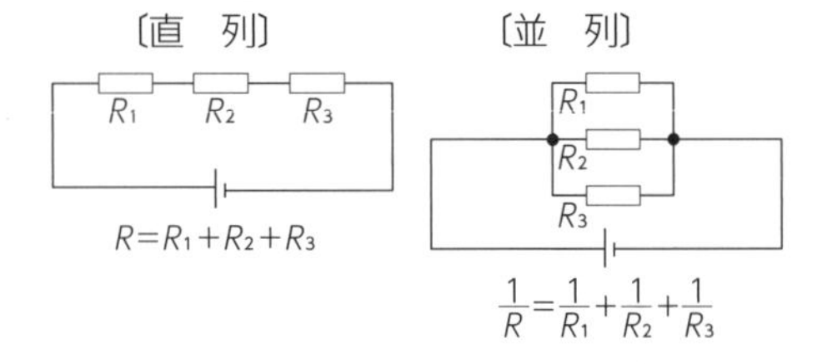

$R=R_1+R_2+R_3$

$\frac{1}{R}=\frac{1}{R_1}+\frac{1}{R_2}+\frac{1}{R_3}$

▶下の回路について(1)～(3)の問いに答えよ。

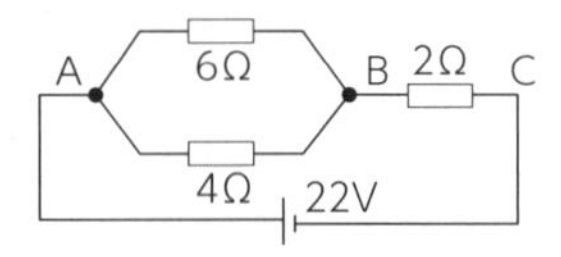

(1)　AB間の**抵抗**を求めよ。［ 6 ］

(2)　BC間の**電圧**を求めよ。［ 7 ］

(3)　4Ωの**抵抗**に流れる**電流**を求めよ。［ 8 ］

▶8Ωの**抵抗**を3倍に引きのばして3等分し，下図のようにつなげた。**合成抵抗**を求めよ。［ 9 ］

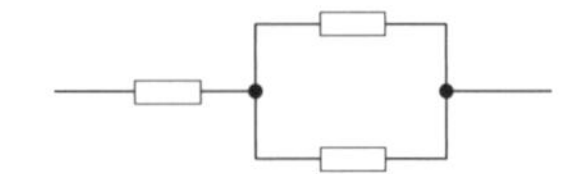

1.　2A

2.　2Ω

3.　反比例

4.　比例

5.　16Ω

6.　$\frac{12}{5}$Ω

7.　10V

8.　3A

9.　36Ω

3．電　力

○電気の**仕事率**を**電力**といい，単位は**ワット**（W）を用いる。

$$電力P = IV$$

▶120V - 480Wの電熱器の抵抗値はいくらか。 [10]

▶上の電熱器のニクロム線を２倍にしたときの電力を求めよ。 [11]

▶次の回路について⑴〜⑶の問いに答えよ。

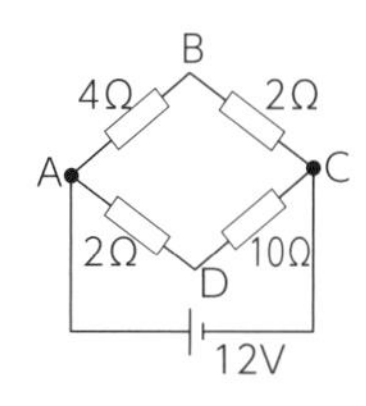

⑴　AC間の抵抗を求めよ。 [12]

⑵　AB間の電圧を求めよ。 [13]

⑶　D点を流れる電流を求めよ。 [14]

4．ジュールの法則

Rオームの導線の両端にEボルトの**電圧**をかけたとき，Iアンペアの**電流**が流れたとすると，t秒間に発生する**熱量**Qジュールは次のように表すことができる。

$$Q = EIt = I^2Rt \ [J]$$

▶下図の配線について答えよ。

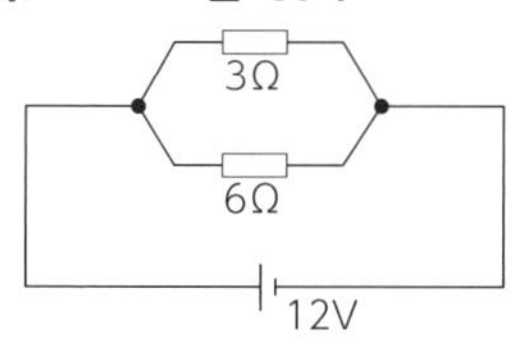

⑴　**合成抵抗**を求めよ。 [15]

⑵　この**抵抗**に12Vの**電圧**をかけ，６分間電流を流したときに発生する**熱量**はいくらか。 [16]

⑶　そのときの消費電力はいくらか。 [17]

10. 30Ω
11. 240W
12. 4Ω
13. 8V
14. 1A
15. 2Ω
16. 6220.8cal
17. 72W

4 仕事とエネルギー

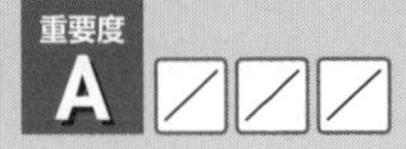

○仕　事

物体に力を**作用**させて，物体がある距離だけ**移動**したとき，力は**仕事**をしたという。

力と**移動**した**方向**とがθをなし，**移動距離**がsのとき，力のした仕事Wは，$W = Fs\cos\theta$ である。

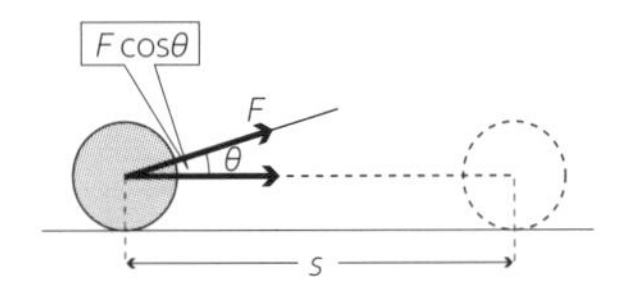

○仕事率

単位時間にする**仕事の量**

$$P = \frac{W}{t} = \frac{Fs}{t} = Fv$$

P…仕事率，**W**…仕事，**s**…移動距離，**t**…時間，**v**…速度

○エネルギー

〔重力による仕事エネルギー〕

質量mの物体が基準面からhの高さにあるとき，その物体の持つエネルギーは$U_p = mgh$である。ただし，**重力加速度**をg（m/s^2）とする。

〔運動エネルギー〕

質量mの物体が速度vで動いているとき，物体の持っているエネルギーは$U_k = \frac{1}{2}mv^2$である。

○力学的エネルギー保存の法則

外力による**仕事**（摩擦など）が加わらない限り，**力学的エネルギー**の和は**一定**に保たれる。

$$U = U_p + U_k = 一定$$

▶水平と30°の角度をなす**滑らかな**斜面の上を，質量mの物体が，距離xだけ滑りおりた。このとき重力が物体に対して行った仕事を求めよ。［　1　］

▶質量1kgの物体が2秒間**自由落下**したとき，物体が2秒間に受けた力積を求めよ。［　2　］

1. $\frac{1}{2}mgx$

2. 19.6N・s

▶高さ4mのすべり台から質量500gのボールを転がした。このボールが地面に達したときの速さを求めよ。ただし，**重力加速度**は$10m/s^2$とする。［ 3 ］

▶一直線上を運動する物体A，Bがある。いま，2m/sの速さのAが静止しているBに衝突した。このときA，Bの速さは，それぞれ0.5m/s，1m/sで向きは同じ運動を始めた。物体A，Bの**はねかえり係数**を求めよ。

［ 4 ］

▶**摩擦のない**下図のようなレールの上を質量*m*kgの物体がすべりおちた。重力が物体にした仕事を求めよ。［ 5 ］

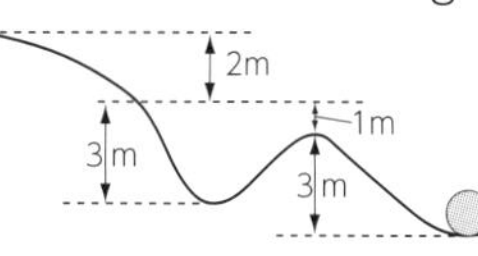

▶20kgの自転車に60kgの人間が乗って**傾斜**10°の坂道を**静止**の状態から坂道に沿って80mおりた。坂道の摩擦力や空気抵抗力は無視するものとして，坂道をおりきったときの自転車の速さを求めよ。ただし$\sin 10° \fallingdotseq 0.17$，$g \fallingdotseq 10$とする。

［ 6 ］

▶質量0.2kgのボールを壁に垂直に8m/sの速さで衝突させると一瞬変形して反対向きにはねかえった。ボールが壁に衝突した時刻を$t=0$として，ボールが壁から受ける力Fと時刻tの関係が下図である。このとき次の各問いに答えよ。

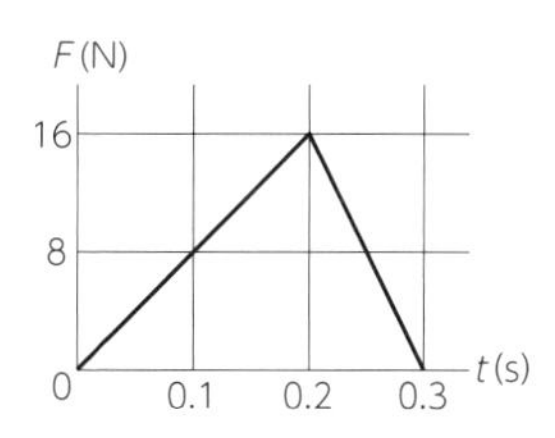

⑴　壁に衝突する前のボールの**運動量**を求めよ。
⑵　衝突してからはねかえるまでにボールが壁から受けた**力積**の大きさを求めよ。
⑶　ボールがはねかえる速さを求めよ。
⑷　**はねかえり係数**はいくらか。

3. 約9m/s

4. 0.25

5. 6mg

6. 16.5m/s

⑴1.6kg・m/s
⑵2.4N・s
⑶4m/s
⑷0.5

5 エネルギーの保存と変換

重要度 A

○**比熱と熱容量**

比熱……物質1gの温度を1K（ケルビン）上げるのに必要な熱量。

比熱c（cal/gK）の物質m（g）を温度t（K）だけ上げるのに必要な熱量Q（cal）。1 cal≒4.19J。

$Q=mct$

熱容量……物質の温度を1K上げるのに必要な熱量。

熱容量（C）＝質量（m）×比熱（c）

○**物質の状態変化**

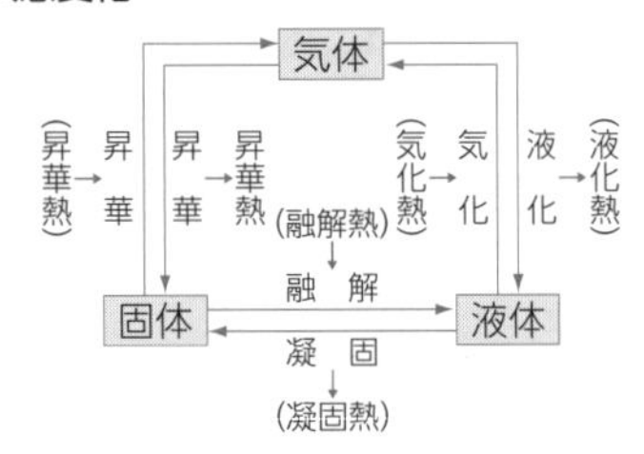

○**仕事と熱**

$W=JQ$

W…仕事（J），Q…熱量（cal），J…仕事当量（J/cal）

▶アルコール30g（**比熱**0.58）が入ったビーカー（質量20g，**比熱**0.15）がある。この時ビーカーの温度は20℃であった。これに60℃の水70gを加えると，全体の温度はおよそ何℃になるか。［1］

▶次の問いに答えよ。

(1) 0.5kgの物体を0℃から80℃に上げるのに4.4kcalの**熱量**を要した。この物体の**比熱**はどれぐらいか。また，**熱容量**はいくらか。［2］

(2) この物体の温度を50℃から20℃まで下げるとき，放出される**熱量**は，何kcalか。［3］

▶10gの水の温度を10℃上昇させるためには，何calの**熱量**が必要か。またその**熱量**をすべて機械の仕事に転換できたとしたら，42kgの物体を何m持ち上げる

1. 51℃

2. 0.11cal/g・℃
55cal/℃

3. 1.65kcal

ことができるか。**重力加速度**を$10m/s^2$として計算せよ。[4]

▶質量100g，**比熱**1.5の物体の温度を50℃から60℃まで上昇させるには，どのくらいの熱を与えればよいか。[5]

▶**比熱**1で50℃の水100g中に，**比熱**0.25で10℃の金属球400gを入れると両者の温度はどれぐらいでつりあって落ち着くか。[6]

▶比熱が9.19×10^{-2}cal/g・℃の材質でつくられた重さ120gの容器がある。この容器に水60gを入れ，よくかきまぜて温度を測ったら16℃であった。この容器全体をあたためて80℃にするにはどれだけの熱を加えなければならないか。ただし，容器の外へ逃げる熱量は無視してよい。[7]

① 3136cal　② 4544cal　③ 4704cal
④ 4976cal　⑤ 6816cal

▶－5℃の氷を溶かして15℃の水1kgを得ようとするときに必要な**熱量**はいくらか。ただし，氷の**比熱**を0.48cal/g・℃，**融解熱**を80cal/gとせよ。[8]

① 2.4×10^3cal　② 15×10^3cal
③ 82.4×10^3cal　④ 95×10^3cal
⑤ 97.4×10^3cal

▶18℃の水100gの中に100℃の**水蒸気**を吹き込んだら**水蒸気**は全部**液化**し，水温が39℃になった。吹き込んだ**水蒸気**の量は何gか。ただし，熱は外部に逃げないものとし，100℃における水の**気化熱**は539cal/g・℃とする。[9]

① 3.2g　② 3.5g　③ 4.1g
④ 4.6g　⑤ 5.2g

4. 100cal　1m

5. 1500cal

6. 30℃

7. ②

8. ⑤

9. ②

6 重力による運動

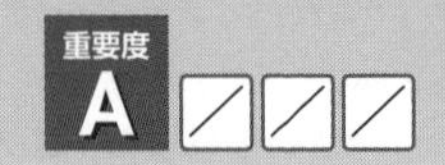

1．自由落下

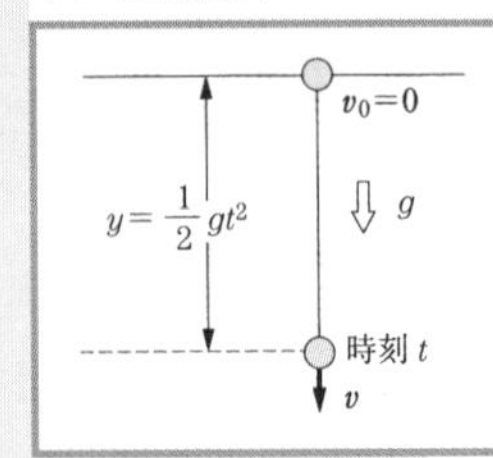

○ t 秒後の速度を v（m/s），そのときの位置を y（m）とすると，

$v=gt$　（$g≒9.8\text{m/s}^2$）

$y=\frac{1}{2}gt^2$

$v^2=2gy$

1. 44.1m

2. 22.05m/s

3. 19.6m

4. 60.025m

5. 34.3m/s

▶あるビルの屋上から小球を落とす実験をしたら，小球は3.0秒で地面にとどいた。地面から屋上までの高さは，$y=\frac{1}{2}gt^2$ より，［ 1 ］である。次に，同じ位置から小球を下向きに投げおろしたら，1.5秒で地面にとどいた。小球にあたえられた初速度は，$y=v_0t+\frac{1}{2}gt^2$ より，［ 2 ］である。

▶井戸の深さを調べようとして，井戸へ小石を落としたら，2.0秒後に水音が聞こえた。井戸の深さは何mか。ただし，水面から音が聞こえてくるまでに要した時間は無視する。［ 3 ］

▶ある建物の屋上から，小石を落としたら，3.5秒後に地面に落ちた。地面から屋上までの高さは，［ 4 ］である。また，小石が地面に達したときの速さは［ 5 ］である。

2．鉛直投げ上げ

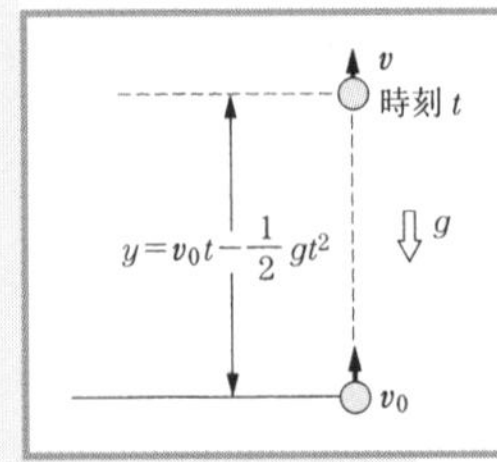

○ t 秒後の速度を v（m/s），そのときの位置を y（m）とすると，

$v=v_0-gt$

$y=v_0t-\frac{1}{2}gt^2$

$v^2-v_0^2=-2gy$

▶小球を，**初速度**24.5m/sで**鉛直**に投げ上げた。

(1) 最高点に達するまでに要する時間は，
$v=v_0-gt$より，[6]

(2) 最高点は，$y=v_0t-\frac{1}{2}gt^2$より，[7]

(3) 投げてから1秒後の**位置**と**速度**を求めよ。
位置＝[8]，速度＝[9]

(4) 高さが4.9mのところを通過するのは，投げてから[10]秒後と[11]秒後である。

(5) 再び地上にもどるのは何秒後か。また，もどったときの速さを求めよ。…[12]，[13]

6. 2.5秒後
7. 30.625m
8. 19.6m
9. 14.7m/s
10. $2.5-\sqrt{5.25}$
11. $2.5+\sqrt{5.25}$
12. 5秒後
13. 24.5m/s

3．水平投射

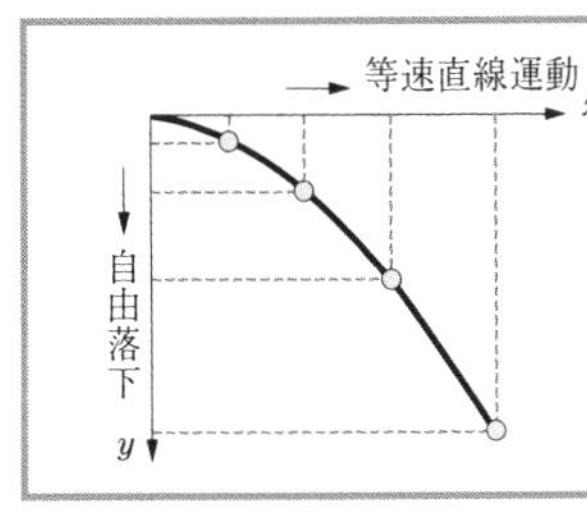

○水平投射の場合
水平方向：**等速直線運動**
$v_x=v_0$　$x=v_0t$
鉛直方向：**自由落下**
$v_y=gt$　$y=\frac{1}{2}gt^2$

▶地上60.025mの高さから，水平方向に16m/sの速さで小石を投げた。地面に着くまでの時間は，
$y=\frac{1}{2}gt^2$より，[14]。投げた地点から着地点までの**水平距離**は，$x=v_0t$より，[15]。

14. 3.5秒
15. 56m

12 物理

4．斜方投射

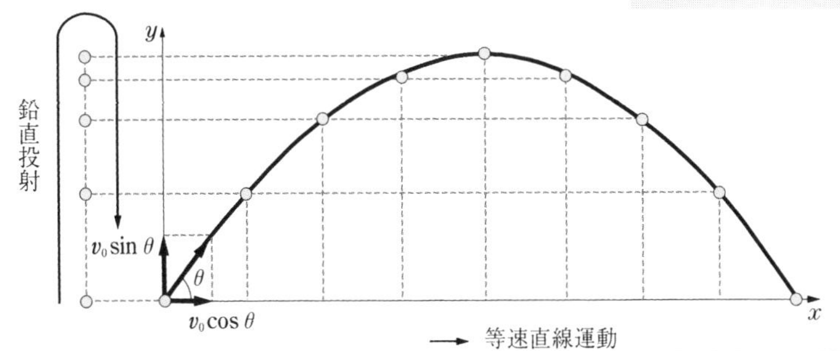

○斜方投射の場合

〔水平方向：等速直線運動〕

$v_x = v_0\cos\theta \quad x = v_0\cos\theta \cdot t$

〔鉛直方向：投げ上げ〕

$v_y = v_0\sin\theta - gt \quad y = v_0\sin\theta \cdot t - \frac{1}{2}gt^2$

〔最高点〕

$v_y = 0$より，到達時間$t_m = \frac{v_0\sin\theta}{g}$

高さ$y_m = \frac{{v_0}^2\sin^2\theta}{2g}$

〔水平到達距離〕

$y = 0$より，到達時間$t_m' = \frac{2v_0\sin\theta}{g}$

到達距離$x_m = \frac{{v_0}^2\sin2\theta}{g}$

▶地上で水平より60°上向きに初速度24m/sで小石を投げ上げた。

(1) 投げてから1秒後の**速度**と**位置**を求めよ。

速度＝［16］

位置＝水平方向［17］

鉛直方向［18］

(2) 最高点に達するのは［19］後，高さは［20］。

(3) 再び地上にもどるのは［21］後，**水平到達距離**は［22］。

16. $\sqrt{264.56} \fallingdotseq 16$m/s

17. 12m

18. $12\sqrt{3} - 4.9 \fallingdotseq 16$m

19. $\frac{12\sqrt{3}}{9.8} \fallingdotseq 2.1$秒

20. 22m

21. 4.2秒

22. 50.4m

13
化　学

1 物質の構成（1）

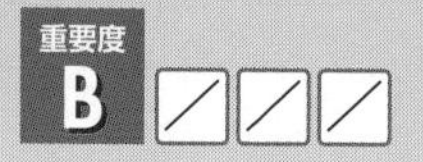

元素の周期律表

族 / 周期	I (a b)	II (a b)	III (a b)	IV (a b)	V (a b)	VI (a b)	VII (a b)	VIII	0
I	1 H								2 He
II	3 Li	4 Be	5 B	6 C	7 N	8 O	9 F		10 Ne
III	11 Na	12 Mg	13 Al	14 Si	15 P	16 S	17 Cl		18 Ar
IV	19 K	20 Ca	21 Sc	22 Ti	23 V	24 Cr	25 Mn	26 27 28 Fe Co Ni	
	29 Cu	30 Zn	31 Ga	32 Ge	33 As	34 Se	35 Br		36 Kr
V	37 Rb	38 Sr	39 Y	40 Zr	41 Nb	42 Mo	43 Tc	44 45 46 Ru Rh Pd	
	47 Ag	48 Cd	49 In	50 Sn	51 Sb	52 Te	53 I		54 Xe
VI	55 Cs	56 Ba	57~71 ランタノイド	72 Hf	73 Ta	74 W	75 Re	76 77 78 Os Ir Pt	
	79 Au	80 Hg	81 Tl	82 Pb	83 Bi	84 Po	85 At		86 Rn
VII	87 Fr	88 Ra	89~103 アクチノイド						

ランタノイド							
La 57	Ce 58	Pr 59	Nd 60	Pm 61	Sm 62	Eu 63	Gd 64
Tb 65	Dy 66	Ho 67	Er 68	Tm 69	Yb 70	Lu 71	

アクチノイド							
Ac 89	Th 90	Pa 91	U 92	Np 93	Pu 94	Am 95	Cm 96
Bk 97	Cf 98	Es 99	Fm 100	Md 101	No 102	Lr 103	

1．原子の構造

▶原子はその中心に［1］があり，これは［2］を帯びた**陽子**と［3］を帯びていない**中性子**とからなる。また**原子核**の周りには［4］を帯びたいくつかの**電子**が存在する。［5］に含まれる［6］の数を**原子番号**という。

1. 原子核
2. 陽電気
3. 電気
4. 陰電気
5. 原子核
6. 陽子

2．化学反応式

(1) $2Al + 2NaOH + 2H_2O \longrightarrow$ [7] $NaAlO_2 + 3H_2$

(2) $M_2O_3 +$ [8] $H_2 \longrightarrow 2M + 3H_2O$

(3) $CaCO_3 +$ [9] $HCl \longrightarrow CaCl_2 + H_2O + CO_2$

(4) $C_2H_5OH +$ [10] $O_2 \longrightarrow 2CO_2 + 3H_2O$

(5) $Cu +$ [11] $HNO_3 \longrightarrow Cu(NO_3)_2 + 2H_2O + 2NO_2$

(6) $MnO_2 +$ [12] $HCl \longrightarrow MnCl_2 + 2H_2O + Cl_2$

3.化学反応

▶**一酸化炭素**COを**燃焼**すると，**二酸化炭素**CO_2ができる。 [13] $CO + O_2 \longrightarrow 2CO_2$

▶カルシウムに多量の**希塩酸**を加えると，**水素**が発生し，**塩化カルシウム**ができる。

$Ca +$ [14] $HCl \longrightarrow CaCl_2 + H_2$

▶**塩素酸カリウム**と**二酸化マンガン**の混合物を加熱すると**塩化カリウム**と**酸素**ができる。なお，**二酸化マンガン**は反応の前後で変化がなく反応を速くする物質（**触媒**）である。$2KClO_3 \longrightarrow 2KCl +$ [15] O_2

▶**エタノール**を完全燃焼すると**二酸化炭素**と**水**ができる。 $C_2H_6O +$ [16] $O_2 \longrightarrow 2CO_2 + 3H_2O$

4.コロイド

▶直径が [17] cmくらいの大きさの物質の粒子を**コロイド粒子**という。

▶粘土や水酸化鉄（Ⅲ）のコロイドは少量の**電解質水溶液**で沈殿する。このようなコロイドを [18] といい，この現象を [19] という。しかし，デンプンやタンパク質のコロイドは少量の**電解質水溶液**では沈殿しない。このようなコロイドを [20] といい，多量の**電解質**で沈殿する。これを [21] という。

▶**コロイド粒子**がセロハンやぼうこう膜などの小さい穴を通れないことを利用して**コロイド溶液**から**不純物**を除く [22] や，[23] のように光が**コロイド粒子**によって散乱される現象は，**コロイド溶液**の特性である。

▶そのほか，**コロイド溶液**の特性と考えられるものに [24] のように，**コロイド溶液**から粒子を [25] させる現象がある。

7. 2
8. 3
9. 2
10. 3
11. 4
12. 4
13. 2
14. 2
15. 3
16. 3
17. $10^{-7} \sim 10^{-5}$
18. 疎水コロイド
19. 凝析
20. 親水コロイド
21. 塩析
22. 透析
23. チンダル現象
24. 凝析
25. 沈殿

2 物質の構成（2）

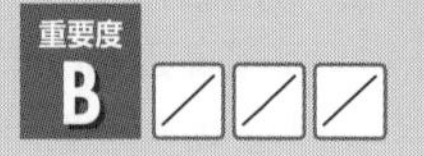

結晶の種類

種類 / 実例・性質	分子結晶	イオン結晶	金属結晶	共有結合結晶
実例	硫黄 S_8，固体炭酸 CO_2，尿素 $(NH_2)_2CO$，ショウノウ $C_{10}H_{16}O$	塩化ナトリウム $NaCl$，ヨウ化カリウム KI	ナトリウム Na，鉄 Fe，チタン Ti	ダイヤモンド C，カーボランダム SiC，水晶 SiO_2
結合力	分子どうしの間の弱い力	陰・陽のイオン間に働く電気的な引力	金属の陽イオンと電子雲との間の金属結合の力	強固な共有結合の力
機械的性質	柔らかく，もろい	かたく，もろい	展性・延性に富む	きわめてかたい
融点	最も低い	かなり高い	相当に高い	きわめて高い
電気伝導性	よい絶縁体	固体では伝導性は小さいが，融解した液体は伝導性が大きい	固体・融解した液体ともに伝導性が大きい	不良導体
水への溶解性	一般に小さい	大きい	ほとんどない	ほとんどない
有機溶媒への溶解性	一般に大きい	小さい	ほとんどない	ほとんどない

1. 種々の法則

▶**アボガドロの法則**……すべての気体は等温・等圧・等体積中に同数の［ 1 ］を含む。実験の結果によると，どんな気体でも1molの占める体積は0℃・1atmで［ 2 ］Lで，この中には［ 3 ］個の分子が含まれる。

▶**ボイルの法則**……一定量の気体の体積は，温度が一定のときは［ 4 ］に反比例する。

▶**シャルルの法則**……一定量の気体の占める体積は，圧力が一定のとき［ 5 ］に比例する。

▶**気体反応の法則**……反応する気体の［ 6 ］は等温・等圧においては簡単な整数比になる。

▶**ヘス（総熱量不変）の法則**……反応の経路が異なっても，化学反応の前後の物質とその状態が同じならば，

1. 分子
2. 22.4
3. 6.02×10^{23}
4. 圧力
5. 絶対温度
6. 体積

出入りする[7]の総和は，常に一定である。

▶**ドルトンの分圧の法則**……**混合気体**の示す**圧力**（全圧）は，その成分気体の[8]の和に等しい。

▶**ヘンリーの法則**……**気体**の**溶解度**は，**温度**が一定である場合，**溶媒**に接しているその**気体**の[9]に**比例**する。

2．溶液の濃度

▶**重量百分率**……[10]100gに含まれる[11]の質量（g）で表す。

$$重量百分率=\frac{溶質の質量}{溶液の質量}\times 100$$

▶**容量モル濃度**……[12]1L中に含まれている[13]のモル数で表す。

$$容量モル濃度=\frac{溶質の量(mol)}{溶液の体積(L)}$$

▶**重量モル濃度**……[14]1kgに溶けている[15]のモル数で表す。

$$重量モル濃度=\frac{溶質の量(mol)}{溶媒の質量(kg)}$$

3．化学結合と性質

▶[16]の間に**電気**的な**引力**が働き，たがいに引き合って**結晶**をつくる。このような結合を[17]結合といい，それによってつくられる結晶を[18]結晶という。[19]結合は一般に**金属**元素と[20]元素が結合するとき生ずる結合である。

▶たがいに**電子**を出し合い，**電子**を**共有**して結び付く結合を[21]結合といい，**共有**される2個の電子を[22]という。

▶ドライアイスCO_2，氷H_2O，**硫黄**S_8，**ブドウ糖**$C_6H_{12}O_6$などのように[23]が集まってできる結晶を[24]結晶という。これは[25]結合と異なり，**融点**は[26]い。

▶金属性の[27]が**価電子**を出して[28]となって整然と並び[29]から離れた**電子**が[30]となって全体を強く結び付ける結合を[31]結合という。

7. 熱量
8. 分圧
9. 圧力
10. 溶液
11. 溶質
12. 溶液
13. 溶質
14. 溶媒
15. 溶質
16. イオン
17. イオン
18. イオン
19. イオン
20. 非金属
21. 共有
22. 共有電子対
23. 分子
24. 分子
25. 共有
26. 低
27. 原子
28. 陽イオン
29. 原子
30. 自由電子
31. 金属

3 物質の性質

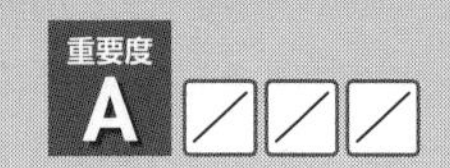

主な有機化合物

ⓐ鎖状

CH_4 メタン	C_2H_6 エタン	C_2H_2 アセチレン	CH_3COOH 酢　酸	$C_6H_{12}O_6$ 単糖類	HCHO ホルム アルデヒド	COOH ｜ COOH シュウ酸
CH_3OH メチルアルコール		HCOOH ギ　酸	C_3H_7COOH 酪　酸	$(C_6H_{10}O_5)_n$ 多糖類		

ⓑ環状

ベンゼン	CH_3 トルエン	ナフタレン	OH フェノール (石灰酸)
NO_2 ニトロ ベンゼン	OH CH_3 クレゾール (o)	NH_2 アニリン	COOH 安息香酸

1. 典型
2. 遷移
3. 典型
4. 遷移

1．元素の金属性と非金属性

▶元素は［ 1 ］元素と［ 2 ］元素とに大別される。［ 3 ］元素の単体は，**金属元素**と**非金属元素**とからなるが，［ 4 ］元素はすべて**金属元素**である。

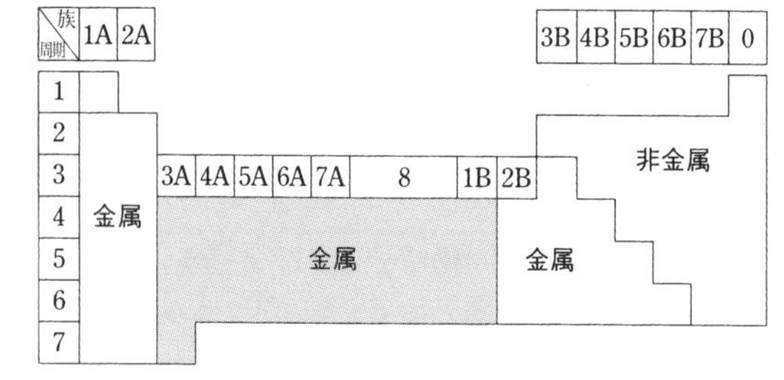

5. 遷移
6. 典型

図のうち，中央の濃い部分にある元素は［ 5 ］元素で，それ以外の元素は［ 6 ］元素である。

一般に，**金属性**は，同じ周期では**左側**ほど，同じ族では**下側**ほど強くなる。これに対して**非金属性**は，**金属性**と反対の関係にある。

2．ハロゲン

▶いずれも［ 7 ］個の**価電子**をもつため，電子1個をとり入れて1価の**陰イオン**になろうとする傾向が強く，［ 8 ］の単体は強い［ 9 ］を示す。**フッ素**が最も強く，**原子番号**が大きくなるにつれて弱くなる。

〈［ 10 ］の強さ〉F_2 ＞［ 11 ］＞ Br_2 ＞ I_2

7. 7　**8.** ハロゲン
9. 酸化力
10. 酸化力
11. Cl_2　**12.** 飽和
13. プロパン
14. 芳香族
15. ベンゼン
16. アルコール
17. フェノール
18. アルデヒド基
19. カルボン
20. カルボキシル基
21. ギ酸
22. エステル

おもな炭素化合物

分類		骨格または官能基		化合物の例	
炭化水素	［ 12 ］炭化水素	 —C—C— メタン系	シクロパラフィン系	CH_4 メタン　C_3H_8 ［ 13 ］	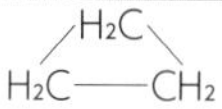 H_2C—CH_2—CH_2（環） シクロプロパン
炭化水素	不飽和炭化水素	C=C エチレン系	—C≡C— アセチレン系	$H_2C=CH_2$ **エチレン**	HC≡CH **アセチレン**
炭化水素	［ 14 ］炭化水素	（ベンゼン環）	 **ベンゼン環**をもつ	C_6H_6 ［ 15 ］	$C_6H_5CH_3$ **トルエン**
［ 16 ］		(アルキル基)—O—H アルコール性水酸基		CH_3OH **メタノール**	C_2H_5OH **エタノール**
フェノール類		(ベンゼン環)—O—H フェノール性水酸基		C_6H_5OH ［ 17 ］	$C_6H_4(CH_3)OH$ **クレゾール**
アルデヒド		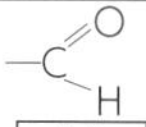 —C(=O)—H ［ 18 ］		HCHO ホルムアルデヒド	
ケトン			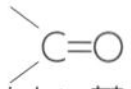 >C=O ケトン基		CH_3COCH_3 **アセトン**
［ 19 ］酸		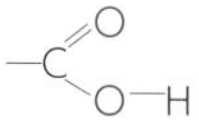 —C(=O)—O—H ［ 20 ］		HCOOH ［ 21 ］	CH_3COOH **酢酸**
エステル		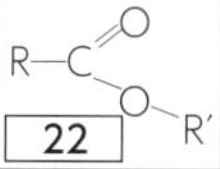 R—C(=O)—O—R′ ［ 22 ］		$CH_3COOC_2H_5$ 酢酸エチル	
エーテル			R—O—R′ エーテル		$C_2H_5OC_2H_5$ **ジエチルエーテル**

13 化学

4 いろいろな化学変化

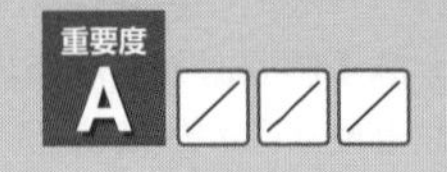

主な無機化合物

O_3	オゾン	Al_2O_3	酸化アルミニウム（アルミナ）	NaOH	水酸化ナトリウム（苛性ソーダ）
H_2O	水				
H_2O_2	過酸化水素	Cu_2O	酸化第一銅	KOH	水酸化カリウム（苛性カリ）
CO_2	二酸化炭素（炭酸ガス）	CuO	酸化第二銅		
		Fe_2O_3	酸化第二鉄（ベンガラ）	$Ca(OH)_2$	水酸化カルシウム（消石灰）
CO	一酸化炭素				
NO	一酸化窒素	H_2F_2	フッ化水素	$Fe(OH)_2$	水酸化第一鉄
NO_2	二酸化窒素	HCl	塩化水素	$Fe(OH)_3$	水酸化第二鉄
P_2O_5	五酸化二リン（無水リン酸）		塩酸（液体状）	NaCl	塩化ナトリウム（食塩）
		H_2SO_4	硫　酸	$CaSO_4$	硫酸カルシウム（石膏）
SO_2	二酸化イオウ（亜硫酸ガス）	H_2SO_3	亜硫酸	KNO_3	硝酸カリウム（硝石）
		HNO_3	硝　酸	$NaHCO_3$	炭酸水素ナトリウム（重曹）
SO_3	三酸化イオウ（無水硫酸）	H_2S	硫化水素		
		H_2CO_3	炭　酸	KCN	シアン化カリ（青酸カリ）
MgO	酸化マグネシウム	H_3PO_4	リン酸	NH_4NO_3	硝酸アンモニウム（硝安）
CaO	酸化カルシウム（生石灰）	H_3BO_3	ホウ酸	$KMnO_4$	過マンガン酸カリウム
		NH_3	アンモニア	K_2CrO_4	クロム酸カリウム

◇次の酸や塩基の電離式を書け。

○ $HCl \rightleftarrows$ [1]

○ $NaOH \rightleftarrows$ [2]

○ $CH_3COOH \rightleftarrows$ [3]

○ $H_2SO_4 \rightleftarrows$ [4]
（2段階に示せ）

○ $Ca(OH)_2 \rightleftarrows$ [5]
（2段階に示せ）

1. $H^+ + Cl^-$
2. $Na^+ + OH^-$
3. $H^+ + CH_3COO^-$
4. $H^+ + HSO_4^-$; $HSO_4^- \rightleftarrows H^+ + SO_4^{2-}$
5. $Ca(OH)^+ + OH^-$; $Ca(OH)^+ \rightleftarrows Ca^{2+} + OH^-$

◇次の中和反応式を完結せよ。中和反応は完全に行われるものとする。

○ $HCl + NaOH \longrightarrow$ [6]

○ $CH_3COOH + KOH \longrightarrow$ [7]

○ $H_2SO_4 + 2NaOH \longrightarrow$ [8]

6. $H_2O + NaCl$
7. $H_2O + CH_3COOK$
8. $2H_2O + Na_2SO_4$

○ H_2CO_3 + Ca (OH)$_2$ → [9]
○ $2H_3PO_4$ + 3Ba (OH)$_2$ → [10]

9. $2H_2O + CaCO_3$
10. $6H_2O + Ba_3(PO_4)_2$

◇次の反応の中で**酸化反応**には○，**還元反応**には×，どちらにも入らないものには△をつけよ。

○ $CuO \longrightarrow Cu$ [11]
○ $Fe_2O_3 \longrightarrow 2Fe$ [12]
○ $H_2S \longrightarrow S$ [13]
○ $SO_2 \longrightarrow SO_3$ [14]
○ $Mg \longrightarrow MgO$ [15]
○ $H_2O_2 \longrightarrow H_2O$ [16]
○ $CH_3OH \longrightarrow HCHO$ [17]
○ $HCHO \longrightarrow HCOOH$ [18]
○ $O_3 \longrightarrow O_2$ [19]
○ $NaCl \longrightarrow Na^+ + Cl^-$ [20]

11. ×
12. ×
13. ○
14. ○
15. ○
16. ×
17. ○
18. ○
19. ×
20. △

◇次にあげる(1)～(5)の反応がすべて**平衡状態**にあるものとする。ただし，反応に関係する物質はすべて気体である。これらのうち，一定温度で圧力を変化させても**平衡**は移動しないが，一定圧力で温度を低くすれば，**平衡**が右に移動するものはどれか。[21]

(1) $4NH_3 + 5O_2 \rightleftarrows 4NO + 6H_2O + 215.6kcal$
(2) $2H_2 + O_2 \rightleftarrows 2H_2O + 115.6kcal$
(3) $N_2 + O_2 \rightleftarrows 2NO - 43.2kcal$
(4) $N_2 + 3H_2 \rightleftarrows 2NH_3 + 22.1kcal$
(5) $H_2 + I_2 \rightleftarrows 2HI + 2.8kcal$

21. (5)

◇次の①～③の**熱化学方程式**を用いて，プロパンの1モルが完全燃焼するときの**発熱量**を計算せよ。[22]

① $3C + 4H_2 = C_3H_8 + 106kJ$
② $H_2 + \frac{1}{2}O_2 = H_2O$(液体) $+ 286kJ$
③ $C + O_2 = CO_2 + 394kJ$

22. 2220kJ

13
化学

5 物質の変化（1）

重要度 A

主な化学反応

① **硝酸銀**の水溶液に**食塩水**を加えると**白色沈殿**ができる。
$AgNO_3 + NaCl \longrightarrow AgCl + NaNO_3$

② コークスと生石灰で**カーバイド**をつくる。
$3C + CaO \longrightarrow CaC_2 + CO$

③ **カーバイド**と**水**で**アセチレン**をつくる。
$CaC_2 + 2H_2O \longrightarrow C_2H_2 + Ca(OH)_2$

④ 生石灰に**水**を加えて**消石灰**をつくる。
$CaO + H_2O \longrightarrow Ca(OH)_2$

⑤ **水**に**ナトリウム**を加えると**水素**が発生してとける。
$2H_2O + 2Na \longrightarrow H_2 + 2NaOH$

⑥ **過酸化水素**が分解して**酸素**が発生する。
$2H_2O_2 \longrightarrow O_2 + 2H_2O$

⑦ **クロム酸カリウム**溶液は**硫酸**で**重クロム酸カリウム**となる。
$H_2SO_4 + 2K_2CrO_4 \longrightarrow K_2Cr_2O_7 + K_2SO_4 + H_2O$

⑧ **メチルアルコール**の合成。
$CO + 2H_2 \longrightarrow CH_3OH$

⑨ **アセチレン**を空気中で完全燃焼させる。
$2C_2H_2 + 5O_2 \longrightarrow 4CO_2 + 2H_2O$

⑩ **エチルアルコール**を空気中で完全燃焼させる。
$C_2H_5OH + 3O_2 \longrightarrow 2CO_2 + 3H_2O$

1. 触　媒

▶**過酸化水素水**に**二酸化マンガン**を加えると，ただちに反応が起こり，**過酸化水素**が分解して**酸素**を発生する。反応後も**二酸化マンガン**はまったく変化していない。このように，その物質は，反応の前後において変化せず，何らかの作用を与えて反応の速さを変化させる物質を［ 1 ］という。

▶**二酸化マンガン**のように，反応の速さを**増加**させる作用のものを［ 2 ］，反応の速さを**減少**させる作用のものを［ 3 ］という。

1. 触媒
2. 正触媒
3. 負触媒

2．酸と塩基

▶**酸**……すっぱい味をもち，青色[4]を赤くしたり，いろいろな**金属**と反応して[5]を発生させるなどの性質（酸性）をもっている物質。水に溶かしたとき H_3O^+[6]イオンを生ずるような**水素原子**をもった化合物である。**塩酸・硫酸・硝酸**などのように**電離度**が1に近い酸を[7]といい，**酢酸**，**フェノール**（石炭酸）C_6H_5OH，**硫化水素** H_2S などのように**電離度**が小さい酸を[8]という。水と反応して酸を生ずるような酸化物を[9]という。

▶**塩基**……赤色[10]を青くしたり，酸の水溶液の**酸性**を打ち消すなどの性質（[11]性）をもつ。NaOH，KOH，$Ca(OH)_2$ などのように[12]を含む化合物である。また，ほかの物質から[13]を奪う性質をもつ。NaOH，KOH，$Ca(OH)_2$ などのように[14]を奪う性質の強いものを[15]といい，$Fe(OH)_3$，$Cu(OH)_2$，NH_3 などのように[16]を奪う性質の弱いものを[17]という。

3．塩の水溶液の性質

▶塩の水溶液は，中性塩であっても必ずしも中性にはならず**弱酸性**，**弱塩基性**を示す場合がある。

(1) **強酸**と**弱塩基**からなる塩の水溶液…[18]性
〈例〉NH_4Cl，$(NH_4)_2SO_4$，$ZnCl_2$，$CuSO_4$，$FeCl_3$

(2) **弱酸**と**強塩基**からなる塩の水溶液…[19]性
〈例〉Na_2CO_3，$NaHCO_3$，CH_3COONa，Na_3PO_4，Na_2SO_4

(3) **弱酸**と**弱塩基**からなる塩の水溶液…[20]性
〈例〉CH_3COONH_4

(4) **強酸**と**強塩基**からなる塩の水溶液…[21]性
〈例〉NaCl，KCl，Na_2SO_4，K_2SO_4，KNO_3

4. リトマス紙
5. 水素
6. オキソニウム
7. 強酸
8. 弱酸
9. 酸性酸化物
10. リトマス紙
11. アルカリ（塩基）
12. OH^-
13. 水素イオン
14. 水素イオン
15. 強塩基
16. 水素イオン
17. 弱塩基
18. 酸
19. アルカリ（塩基）
20. 中
21. 中

6 物質の変化（2）

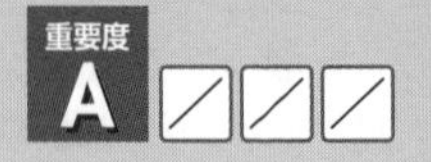

さまざまな変化

⊙沈殿反応

(1) 塩化銀の沈殿

$Ag^+ + Cl^- \longrightarrow AgCl\downarrow$ (白)

(2) 炭酸カルシウムの沈殿

$Ca^{2+} + CO_3^{2-} \longrightarrow CaCO_3\downarrow$ (白)

(3) 硫酸バリウムの沈殿

$Ba^{2+} + SO_4^{2-} \longrightarrow BaSO_4\downarrow$ (白)

(4) 水酸化鉄（Ⅲ）の沈殿

$Fe^{3+} + 3OH^- \longrightarrow Fe(OH)_3\downarrow$ (茶)

(5) クロム酸イオンと金属イオンの反応

$2Ag^+ + CrO_4^{2-} \longrightarrow Ag_2CrO_4\downarrow$ (赤褐色)

$Pb^+ + CrO_4^{2-} \longrightarrow PbCrO_4\downarrow$ (黄)

⊙酸化反応，還元反応

(1) $2Mg + O_2 \longrightarrow 2MgO$ (酸化)

$S + O_2 \longrightarrow SO_2$ (酸化)

(2) $\underline{Cu}O + \underline{H_2} \longrightarrow \underline{Cu} + \underline{H_2}O$ (酸化と還元)

（還元）: $CuO \rightarrow Cu$　（酸化）: $H_2 \rightarrow H_2O$

(3) $\underline{S}O_2 + 2H_2\underline{S} \longrightarrow 2H_2O + 3\underline{S}$ (酸化と還元)

（還元）: $SO_2 \rightarrow S$　（酸化）: $H_2S \rightarrow S$

1. 酸素
2. 電子
3. 酸化物
4. 水素

1．酸化と還元

▶**酸化**……ある物質が［ 1 ］と結び付くか，**水素**を失うか，あるいは［ 2 ］を放出するとき，その物質は**酸化**されるという。そのとき生成する物質を［ 3 ］という。

▶**還元**……ある物質が**酸素**を失うか，［ 4 ］と結び付くか，あるいは**電子**を得るとき，その物質は**還元**されるという。

(1) $2Na + Cl_2 \longrightarrow 2NaCl$

$2Na \longrightarrow 2Na^+ + 2e^-$ ………**電子**を失い，[5]される。

$Cl_2 + 2e^- \longrightarrow 2Cl^-$ …………**電子**を得て，[6]される。

(2) $2KI + Cl_2 \longrightarrow 2KCl + I_2$

$2I^- \longrightarrow I_2 + 2e^-$ ……………**電子**を失い，[7]される。

$Cl_2 + 2e^- \longrightarrow 2Cl^-$ …………**電子**を得て，[8]される。

5. 酸化
6. 還元
7. 酸化
8. 還元

2．酸化剤・還元剤

▶**酸化剤**……相手の物質を**酸化**する物質（自身が[9]されやすい物質）である。

〈例〉**オゾン**O_3，**塩素**Cl_2，**過酸化水素**H_2O_2，硝酸HNO_3，など**酸化剤**として働く場合

〈酸化数〉[10] → 0

$\underline{S}O_2 + 2H_2\underline{S} \rightarrow 2H_2O + 3\underline{S}$

〈酸化数〉[11] → 0

9. 還元
10. −2
11. ＋4

▶還元剤……相手の物質を**還元**する物質（自身が[12]されやすい物質）である。

〈例〉**水素**H_2，**二酸化硫黄**SO_2，**硫化水素**H_2S，など

〈酸化数〉＋4 → [13]

$\underline{S}O_2 + \underline{Cl}_2 + 2H_2O \longrightarrow 2H\underline{Cl} + H_2\underline{S}O_4$

〈酸化数〉0 → [14]

12. 酸化
13. ＋6
14. −1

3．金属のイオン化傾向と電池

▶**イオン化傾向**の違う2種の金属を，**電解質溶液**に離して浸すと，**イオン化傾向**の[15]な金属が負極になり，[16]な金属が正極になった[17]ができる。

[18]の電池……**亜鉛**と**銅**を**希硫酸**に浸してつくった電池。

負　極

$Zn \longrightarrow Zn^{2+} + 2e^-$　[19]

15. 大き
16. 小さ
17. 電池
18. ボルタ
19. 酸化

13 化学

20. 還元
21. 乾
22. 正
23. 負
24. 鉛蓄
25. 鉛
26. 二酸化鉛

正　極

$2H^+ + 2e^- \longrightarrow H_2\uparrow$　　［20］

［21］電池………**炭素**（黒鉛）棒を［22］極にし，**亜鉛**の容器を［23］極にした電池。

負　極

$Zn + nNH_4^+ \longrightarrow [Zn(NH_3)n]^{2+} + nH^+ + 2e^-$

正　極

$2H^+ + 2MnO_2 + 2e^- \longrightarrow Mn_2O_3 + H_2O$

（MnO_2:**減極剤**）

［24］電池………比重1.2～1.3の**希硫酸**に，**鉛**Pbの極と**二酸化鉛**PbO_2の極を浸した電池で，［25］が負極に，［26］が正極になる。

負　極

$Pb + SO_4^{2-} \rightleftarrows PbSO_4 + 2e^-$

正　極

$PbO_2 + 4H^+ + SO_4^{2-} + 2e^- \rightleftarrows PbSO_4 + 2H_2O$

（全体の反応）

$Pb + PbO_2 + 2H_2SO_4 \rightleftarrows 2PbSO_4 + 2H_2O$

14
生　　　物

1 細胞の構造とはたらき

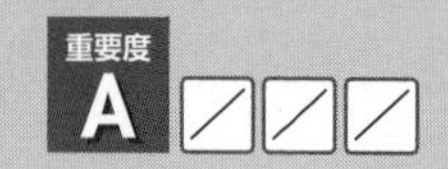

細胞の構造

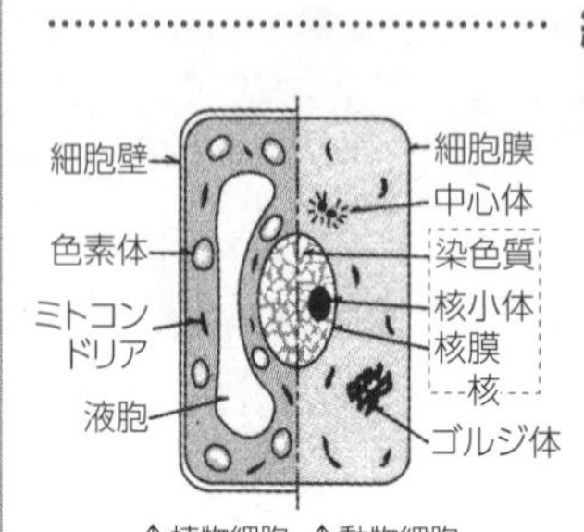

↑植物細胞　↑動物細胞

細胞
- **細胞質**・**核**……**原形質**
- 二次物質……後形質（細胞壁，細胞液，含有物など）

核
- 核膜
- 染色質…**デオキシリボ核酸**（DNA）を含む
- 核小体…リボ核酸（RNA）を含む。仁
- 核液

細胞質
- **細胞膜**
- **ミトコンドリア**……酸素呼吸の場
- リボソーム……タンパク質合成の場
- ゴルジ体
- 中心体
- 色素体……
  - **葉緑体**…光合成の場
  - 有色体
  - 白色体

1．細胞の構造

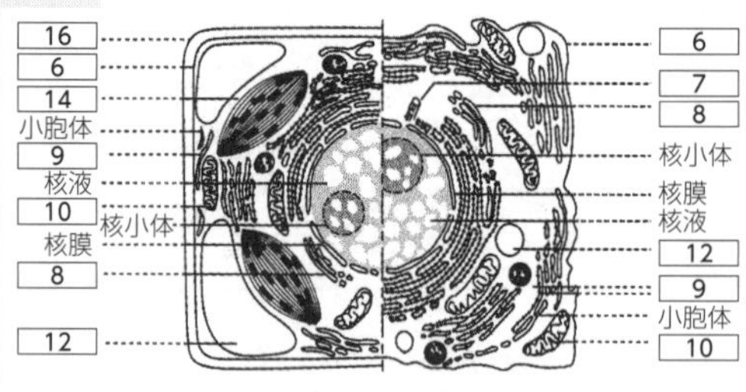

▲植物細胞　▲動物細胞

1. 細胞

▶生物のからだをつくっている基本単位。… 1

▶**細胞膜**，**細胞質**，**核**からできており，主成分は水と 2 である。…… 3

2. タンパク質
3. 原形質

▶**球状**で**染色液**によく染まる部分。 4 の存在する場所として，次代に遺伝形質を伝えるのに重要であるば

4. 遺伝子

かりでなくDNAをもとにして，**タンパク質**，とくに**酵素**の合成を支配する機能をもち，細胞の分化や生活活動の調節の中心となっている。……[5]

▶タンパク質と脂質でできた薄い膜。**細胞**の外側を包み，内外を区分している。……[6]

▶動物細胞と藻類・菌類など一部の植物細胞に見られ，**細胞分裂**の際重要な役割をする。……[7]

▶偏平で中空の袋が数個平行に並び，まわりに大小さまざまな小胞を伴い網状になっている。はたらきは物質の貯蔵・分泌をすることで，袋の中に分泌物がたまると球状に変形して移動し，**細胞**外に出される。……[8]

▶おもにRNAと**タンパク質**からできており，細胞内でDNAの指示にもとづいて一定の構造をもった**タンパク質**を**アミノ酸**から合成。……[9]

▶細胞内に多数散在する棒状ないし球状の小体である。**酸素呼吸**とATP生成にあずかる酵素を含んでいてエネルギー発生の役割をもつ。……[10]

▶１枚の膜で包まれた袋で内部には無機塩類・糖・有機酸などの水溶液を含む。[11]などの色素を含んでいるものもある。……[12]

▶**光合成**を行う**植物細胞**に見られ，緑色の[13]，黄～だいだい色のカロチノイドなどの色素を含み，光を吸収して糖やデンプンを合成。……[14]

▶**植物細胞**の**細胞膜**の外側にあり，[15]でできている厚い膜。……[16]

２．植物の組織

▶**植物**には，それ自体は特殊化しないで，常に**分裂**をくり返し，新しい**細胞**をつくり出している細胞群，すなわち[17]がある。**植物**が一生を通じて茎と根の先端で伸長するのは，それぞれの先端に[18]とよばれる[19]があるためである。また茎が太くなることができるのは，茎に[20]とよばれる[21]があるからである。

5. 核
6. 細胞膜
7. 中心体
8. ゴルジ体
9. リボソーム
10. ミトコンドリア
11. アントシアン
12. 液胞
13. クロロフィル
14. 葉緑体
15. セルロース
16. 細胞壁
17. 分裂組織
18. 成長点
19. 分裂組織
20. 形成層
21. 分裂組織

2 物質交代とエネルギー交代

エネルギー

⦿エネルギー交代

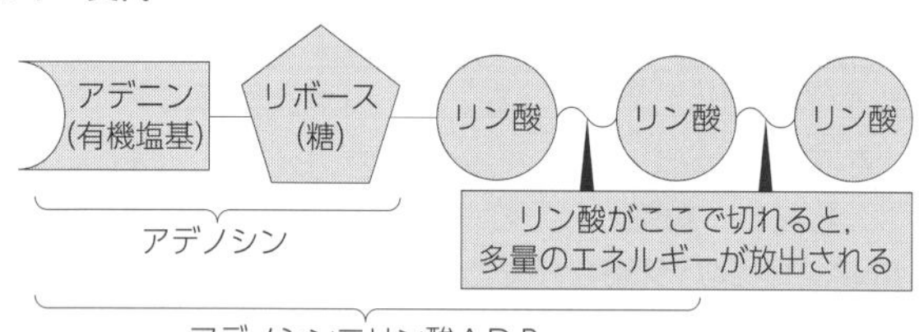

⦿酵　素

酵素の型	酵素の種類	はたらき
酸化還元酵素	脱水素酵素（デヒドロゲナーゼ），カタラーゼ	基質から水素をとって，他の物質へ移す。H_2O_2（過酸化水素）→H_2O＋〔O〕
加水分解酵素	炭水化物分解酵素	〈例〉アミラーゼ　デンプン＋水→麦芽糖（グリコーゲン）
	タンパク質分解酵素	〈例〉ペプシン　タンパク質＋水→ポリペプチド
	脂肪分解酵素	〈例〉リパーゼ　脂肪＋水→グリセリン＋脂肪酸
	ATPアーゼ	ATP＋水→ADP＋リン酸
その他	アミノ基転移酵素（トランスアミナーゼ）	基質からアミノ基（$-NH_2$）をとって，他の物質へ移す。
	脱炭酸酵素（カルボキシラーゼ）	基質のカルボキシル基（－COOH）を分解して，CO_2を発生させる。

1. エネルギー交代
2. 物質交代
3. アデノシン三リン酸

1．エネルギー交代

▶生物と外界との間のエネルギーの出入り，生物体内でのエネルギーの**変化**や**移動**を［　1　］という。これらはすべて物質の化学的な変化，すなわち［　2　］に伴って起こる。生物が**エネルギー交代**をするとき，そのなかだちをしているのが**ATP**（［　3　］の略）である。

2．酵　素

▶**酵素**は反応を促進させるはたらきをもつが，**酵素**自体は反応の前後で**変化**しない。したがって**酵素**は一種の触媒である。［ 4 ］の存在するところだけで作用をあらわす，微量で有効な物質であるが，熱に［ 5 ］く，多くはおよそ［ 6 ］℃に熱すると破壊されてそのはたらきを失い，再び**回復**しない。

▶**酵素**が化学反応A⇒Bの進行を促すとき，Aを**酵素**の［ 7 ］，Bを［ 8 ］という。ある**酵素**が作用する基質は厳密に決まっている。これを**酵素**の［ 9 ］という。

3．呼　吸

▶エネルギー源となる物質は，細胞に取り込まれた［ 10 ］・**アミノ酸・脂肪酸・グリセリン**などであり，これらが細胞内で複雑な過程を経て分解され，［ 11 ］が生成される。完全に分解されると，最後に**アンモニア**・［ 12 ］・**水**などになる。これらのエネルギー源の完全な分解には，空気中から取り入れた［ 13 ］が用いられる。この全過程が［ 14 ］である。これには生物が肺に空気を出し入れする［ 15 ］と細胞内での酸化過程の［ 16 ］とがある。また，細胞内で物質が［ 17 ］されるとき，直接に**酸素**を必要としない［ 18 ］と**酸素**を必要とする［ 19 ］がある。

4．光合成

▶緑色の植物は，糖などの**有機化合物**を，［ 20 ］のエネルギーを用いて，自分の体内で**無機物**から合成することができる。このような作用を［ 21 ］とよぶ。

$$6CO_2 + 12H_2O + [\ 22\ ] \rightarrow [\ 23\ ] + 6H_2O + 6O_2$$

▶**光合成**の反応には，大きく分けて**光**を吸収して行われる［ 24 ］と，**光**を必要としない［ 25 ］とがあり，この２つの反応は連続して行われている。［ 26 ］は**光化学反応**の１つで，**光**が強くなると［ 27 ］なるが，**温度**の影響は受けない。一方，［ 28 ］はふつうの**化学反応**であって**温度**が［ 29 ］と速くなるが，**光**の強さには関係しない。

4. 水
5. 弱
6. 70～80
7. 基質
8. 反応生成物
9. 基質特異性
10. ブドウ糖
11. ATP
12. 二酸化炭素
13. 酸素
14. 呼吸
15. 外呼吸
16. 内呼吸
17. 酸化
18. 無気呼吸
19. 酸素呼吸
20. 光
21. 光合成
22. 光エネルギー
23. $C_6H_{12}O_6$
24. 明反応
25. 暗反応
26. 明反応
27. 速く
28. 暗反応
29. 上がる

3 恒常性と調節

脊ツイ動物の代表的ホルモン

分泌器官		ホルモンの名称		ホルモンのおもな作用
視床下部		脳下垂体前葉ホルモンの 放出因子・抑制因子		脳下垂体前葉ホルモンの分泌を促進・抑制
脳下垂体	前葉	生殖腺刺激ホルモン 黄体形成ホルモン 黄体刺激ホルモン 甲状腺刺激ホルモン 副腎皮質刺激ホルモン 成長ホルモン		卵巣・精巣の成熟を促進 排卵の誘起，黄体の形成 黄体の刺激，乳腺の発達 甲状腺ホルモンの分泌を促進 副腎皮質ホルモンの分泌を促進 骨の発育，からだ一般の成長
	中葉	色素胞刺激ホルモン		黒色素粒の分散，黒色色素の合成
	後葉	子宮収縮ホルモン 血圧上昇ホルモン		子宮筋の収縮，乳汁の分泌 水分・塩類の再吸収，血圧の上昇
甲状腺		チロキシン		物質交代の促進，両生類の変態を促進
副甲状腺		パラトルモン		血液中のCa量の増加
副腎	髄質	アドレナリン		血糖量の増加
	皮質	糖質コルチコイド 鉱質コルチコイド		アミノ酸からブドウ糖を生成，炎症を抑制 血液中のNa，K濃度の調節，炎症を促進
すい臓		インシュリン グルカゴン		血糖量の減少，組織での糖の酸化を促進 血糖量の増加
生殖腺	精巣	雄性ホルモン		雄の第二次性徴の発現，筋肉の発達
	卵巣	雌性ホルモン	卵胞ホルモン 黄体ホルモン	雌の第二次性徴の発現 妊娠の成立と維持

1. 髄質
2. 間脳
3. 中脳
4. 小脳
5. 延髄

1. 脊ツイ動物の神経系

大脳
- **皮質**（灰白質）……**随意運動・感覚**
  精神作用
- [1]（白質）……興奮の伝達

[2]……**自律神経**の中枢，体温中枢

[3]……姿勢の維持，眼球運動

[4]……からだの運動の**調節**

[5]……呼吸・心臓の運動の**調節**

2. 免疫現象

▶**病原体**が体内に侵入すると，**血液中**に，**病原体**やそ

の**病原体**の生成する**高分子化合物**（**毒素**）に対抗する物質[6]が生ずる。これは，あとから侵入してくる病原体を溶解または凝着させたり，**毒素**を中和して無毒にしたりして発病を抑える。このように特定の**病原体**または**毒素**に対する**抵抗性**ができることを[7]という。[8]を形成させる原因となった物質[9]と[10]との間には高い特異性が見られ，両者の間の反応を[11]反応という。[12]は**血清**中の[13]とよばれるタンパク質である。**予防接種**は，人工的に[14]性を獲得させるもので，このために用いる[15]が[16]である。

3．血液の成分

▶[17]……**液体**成分で血液の55～65％。水や，[18]，脂肪，ブドウ糖，無機塩類，ホルモンからなる。

▶[19]……ホ乳類では**核**がなく，**骨髄**でつくられる。**ヘモグロビン**を含み，[20]を運搬する。

▶[21]……形や大きさとも不定で，[22]をもつ。白血球は**骨髄**で，**リンパ球**はリンパ節やひ臓でつくられる。寿命を迎えると肝臓とひ臓で破壊される。**食菌**作用がある。

▶[23]……不定形で核はない。**トロンボプラスチン**を含み，[24]に関係する。

4．血液循環

大静脈→右心房→[25]→[26]
↑　　　　　　　　　　↓
毛細血管　　　　　　　肺
↑　　　　　　　　　　↓
[28]←左心室←[27]←肺静脈

▶[29]……肺でガス交換を終えた血液。鮮紅色で多量の**酸素**を含む。

▶[30]……**静脈**によって**心臓**に送られ，さらに肺動脈を介して肺に運ばれる血液。**酸素**の量が少なく，**二酸化炭素**に富み，**ヘモグロビン**は還元されて暗紅色を呈する。肺で[31]にかわる。

6. 抗体
7. 免疫
8. 抗体
9. 抗原
10. 抗体
11. 抗原抗体
12. 抗体
13. グロブリン
14. 免疫
15. 抗原
16. ワクチン
17. 血しょう
18. タンパク質
19. 赤血球
20. 酸素
21. 白血球
22. 核
23. 血小板
24. 凝固
25. 右心室
26. 肺動脈
27. 左心房
28. 大動脈
29. 動脈血
30. 静脈血
31. 動脈血

4 生殖と発生

細胞分裂

細胞の分裂は，はじめに核が二分し，つぎに細胞質が二分する。

(a) **無糸分裂**（直接分裂） 老衰細胞，がん細胞の分裂

(b) **有糸分裂**（間接分裂）

① 体細胞分裂：ふつうの体細胞の分裂
間期—前期—中期—後期—終期

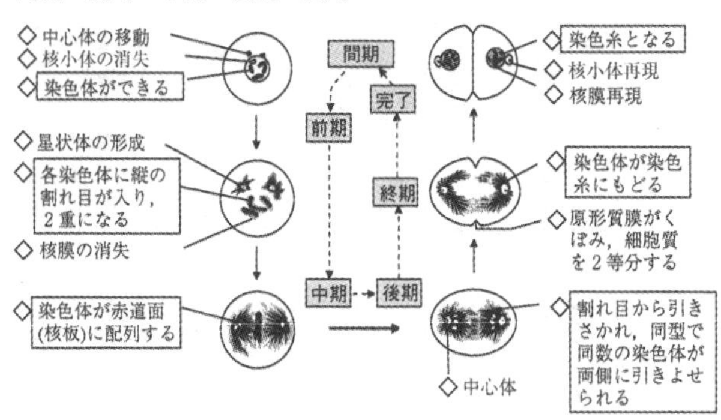

② **減数分裂**：生殖細胞のできるときおこる分裂。**第一分裂**につづいて**第二分裂**が行われるため，染色体数は**2分の1**となる。

1．細胞分裂

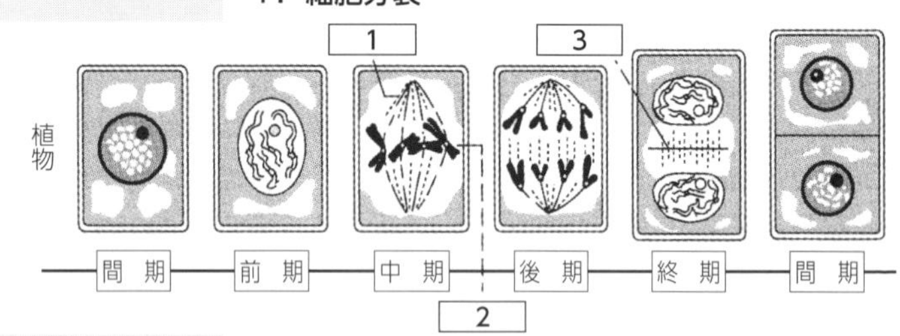

1. 紡錘体
2. 赤道面
3. 細胞板

▶前　期……核の中に分散した**DNA - タンパク質複合体**の細い糸は，数本ずつ寄り集まったうえで，[4]状に巻いて[5]となり，さらに二重または三重に巻い

て，太く短い[6]をつくる。このころ**染色体**は縦に裂け，おのおのが[7]本の[8]になっている。

▶**中　期**……[9]が赤道面に並んだ時期。[10]を極のほうから見ると，その細胞の[11]の数とそれぞれの[12]がよくわかる。

▶**後　期**……各[13]は**紡錘糸**によって引かれるようにして，両極へ移動する。

▶**終　期**……両極近くに達した[14]は，前期の過程を逆にたどるようにして**DNA - タンパク質複合体**の状態にもどる。同時に，[15]がこれら全体を包んで**核膜**となり，新しい核ができあがる。

4. らせん
5. 染色糸
6. 染色体
7. 2　8. 染色分体
9. 染色体
10. 紡錘体
11. 染色体
12. 染色体
13. 染色分体
14. 染色体
15. 小胞体

2．卵の種類

卵の種類	卵黄の量と分布	動物例
[16]卵	卵黄が少なく，均等に分布	ウニ類，ホ乳類など
[17]卵	卵黄が多く，偏って分布	魚類・両生類・ハ虫類・鳥類など
[18]卵	卵黄が多く，中央部に分布	甲殻類・昆虫類など

16. 等黄
17. 端黄
18. 心黄

3．受　粉

▶**被子植物**の花粉の形成は，動物の精子形成の場合と似ている。おしべの[19]の中にある[20]細胞（$2n$）が[21]分裂を行って４個の花粉をつくる。花粉の**核**（n）はまもなく[22]核（n）と**生殖核**（n）に分裂する。花粉がめしべの[23]につくことを[24]という。[25]して花粉が発芽すると，[26]核は伸びていく花粉管の先端部に位置する。雄原細胞はあとに続き，**分裂**して２個の[27]（n）になる。

4．胞胚・嚢胚

▶卵は**卵割**を繰り返すと，多くの割球が集まった[28]になる。さらに発生が進むと，中央に[29]という空所をもつ[30]となる。やがて，植物極側が増殖し，さらに**陥入**が著しく進むと，[31]になる。この**陥入**の入口の部分を[32]，陥入して袋状になった部分を[33]とよぶ。二重の壁の外側の**細胞層**が[34]，内側の層が[35]，これら２つの**細胞層**の間に[36]が分化してくる。

19. やく
20. 花粉母
21. 減数
22. 花粉管
23. 柱頭
24. 受粉
25. 受粉
26. 花粉管
27. 精細胞
28. 桑実胚
29. 卵割腔
30. 胞胚
31. 嚢胚
32. 原口
33. 原腸
34. 外胚葉
35. 内胚葉
36. 中胚葉

5 遺伝と変異

メンデルの法則

a. **顕性の法則**　雑種第１代では，親の**対立形質**のうち**顕性**の形質のみが現れ，**潜性**形質は現れない。
b. **分離の法則**　雑種第２代では，**顕性**と**潜性**の割合が３：１で現れる。
c. **独立の法則**　両性雑種の場合，二組の形質はたがいに**独立**に遺伝する。

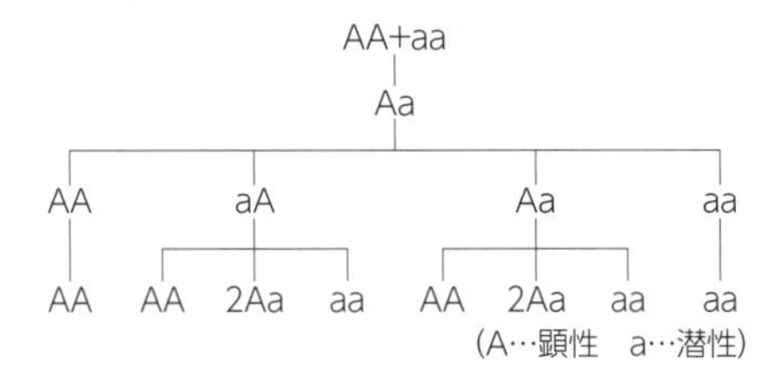

⊙変　異
(a) **個体変異**　**同一遺伝子**の個体内にみられる環境による変異で，**体細胞**に原因する。
(b) **交雑変異**　**交雑**による**遺伝子**の新しい組み合わせによっておこる。
(c) **突然変異**　遺伝子や染色体に突然変化がおこる場合。**遺伝子突然変異**，**染色体突然変異**と**人為突然変異**がある。

1. 遺伝の法則

▶［ 1 ］の法則……遺伝子には**顕性**のものと**潜性**のものとが存在する。

▶［ 2 ］の法則……**生殖細胞**ができるときには，対立する**遺伝子**はそれぞれ**分離**して各**配偶子**に入る。

▶［ 3 ］の法則……２つ以上の対立する**遺伝子**を取り扱う場合，それぞれの**遺伝子**は他の**遺伝子**に無関係に**独立**して各**配偶子**に入る。

◇**メンデルは７つの対立形質で交配実験を行ったが，８つの対立形質で行った場合，３つの法則（顕性，独立，分離）のうち次のどれが成り立たなくなるか。**

［ 4 ］

1. 顕性
2. 分離
3. 独立
4. ④

①3つとも成り立たない。
②顕性の法則が成り立たない。
③分離の法則が成り立たない。
④独立の法則が成り立たない。
⑤分離の法則と独立の法則が成り立たない。

◇顕性遺伝子AB，潜性遺伝子abで，Ab，aBと連鎖している。5％の割合で組み替えが起こるとしたらAB：aB：Ab：abの現れる割合はどうなるか，次から選べ。［ 5 ］
① 1：20：20：1　② 1：19：19：1
③ 1：20：1：20　④ 19：1：1：19
⑤ 20：1：1：20

2．両性雑種

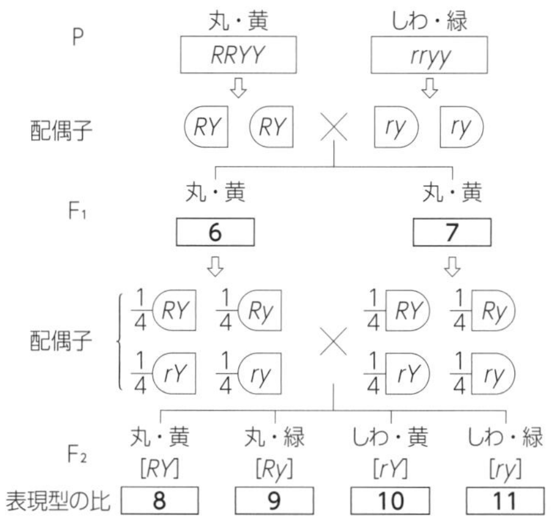

▶丸はしわに対して，黄は緑に対して［ 12 ］性だから，丸と黄の**遺伝子**をそれぞれRとYとすると，しわのほうは［ 13 ］，緑のほうは［ 14 ］となる。

▶丸・黄のPの**遺伝子型**は［ 15 ］，しわ・緑のPの**遺伝子型**は［ 16 ］で表せる。前者はすべて［ 17 ］，後者はすべて［ 18 ］。

▶F_1の**遺伝子型**はすべて［ 19 ］となり，したがって表現型はすべて［ 20 ］となる。

▶F_1では*RY*・*Ry*・*rY*・*ry*の4種類の**配偶子**が［ 21 ］ずつの確率で生ずる。

5. ②
6. *RrYy*
7. *RrYy*
8. 9
9. 3
10. 3
11. 1
12. 顕
13. *r*
14. *y*
15. *RRYY*
16. *rryy*
17. *RY*
18. *ry*
19. *RrYy*
20. 丸・黄
21. 4分の1

6 生物の進化

進　化

【時代区分】

1.**先カンブリア時代**（約45億年前～５億6400万年前）
＜原始生物の誕生，細菌類・ソウ類・クラゲ類の出現＞

2.**古生代**（約５億6400万年前～２億4200万年前）
＜サンヨウチュウ・フデイシ・フズリナの繁栄と絶滅，サンゴ・魚類・両生類などの出現と繁栄。シダ植物の繁栄＞

3.**中生代**（約２億4200万年前～6400万年前）
＜アンモナイト・恐竜類の繁栄と絶滅。裸子植物の繁栄＞

4.**新生代**（約6400万年前～現代）
＜ホ乳類の繁栄，被子植物の繁栄，人類の出現＞

⦿**用・不用説**（ラマルク）……生物の器官の中で，よく用いるものは発達し，用いないものは退化していく。これが積み重なり，生物は進化していく。

⦿**自然選択説**（ダーウィン）……同じ親から生まれた子でも，個体間に変異があり，この中で，**環境**に適した形やしくみをもっているものだけが**生存競争**に勝って生き残る。これを**適者生存**といい，このようにして，生物は進化していく。

⦿**突然変異説**（ド＝フリース）……自然界では，**突然変異**によっていろいろな変わりものができる。この変わりものの中で**環境**に**適応**できるものが栄えていく。要するに，**突然変異**が生物進化のもとになっている。

⦿**定向進化説**（アイマー）……**環境**に関係なく，**生物体内**にある要因で生物は**一定方向**に向かって進化する。

1. ①

◇次は遺伝子と変異についての記述である。正しいものはどれか。［ 1 ］

① ド＝フリースは，オオマツヨイグサの研究から突然変異説を提唱した。

② マラーは，α線により人為的に突然変異を起こすことができることを発見した。

③ モーガン（モルガン）らは，ウニの発生の研究により，染色体地図を作製した。

④ シュペーマンはアカパンカビの研究から，１遺伝子１酵素説を提唱した。

15
地　学

1 地球の構成

地殻の構成物質

色	特に濃	濃	中	淡
比　重	特に大(約3.2)	大(約3.0)	中(約2.8)	小(約2.6)
SiO_2の量	40%前後(塩基性岩)	50%前後	60%前後(中性岩)	70%前後(酸性岩)
火山岩		玄武岩	安山岩	流紋岩
深成岩	かんらん岩	斑れい岩	閃緑岩	花こう岩

おもな造岩鉱物
無色鉱物
有色鉱物
Caが多くなる
斜長石
Naが多くなる
石英
カリ長石
かんらん石
輝石
角閃石
黒雲母

▶**地球の引力**

地球の質量をM，地球の中心からの距離をr，[1]をGとするとき，質量mの物体に働く地球の**引力**Fは，$F=G\dfrac{mM}{r^2}$となり，地表の物体に働く地球の**引力**は**緯度**の高低で[2]。

▶**自転の遠心力**

地球の**自転角速度**をωとし，**地軸**からの距離をrとするとき，質量mの物体に働く地球の自転によるその遠心力は$mr\omega^2$となり，**遠心力**は**赤道**で最も[3]く，**極**では[4]になる。

▶**地球表面の重力**

地球の[5]と自転の[6]の**合力**で，**重力**は**緯度**が高いほど[7]くなる。

▶**地磁気の３要素**

偏角，伏角，[8]をいう。磁極は伏角[9]の地点をいう。**地磁気**の強さや**磁極**の位置は変化している。

▶地球は**赤道半径**が**極半径**より[10]い**回転楕円体**に近く，このことは，子午線上の緯度１°の長さが赤道で

1. 万有引力定数
2. 変わらない
3. 大き
4. ゼロ
5. 引力
6. 遠心力
7. 高
8. 水平分力
9. ±90°
10. 長

[11]，極で[12]であることからわかる。

▶地表がすべて**海**であると仮定したときの，**平均海面**で囲まれた曲面体を[13]という。**重力**の方向に**垂直**な面だが，この曲面体は地球楕円体とは一致しない。それは地下の**密度分布**と**地形**に影響される。

▶地震波

地表付近で6～8km/sの速度で早く伝わる波，P（Primaryの頭文字）**波**すなわち[14]で粗密波または弾性波と称される波と，この波よりは遅く，地表付近で3～4km/sの速度で伝わってくる波とがある。これがS（Secondaryの頭文字）**波**すなわち[15]で，高低波または変形波といわれる波である。

P**波**は一般に物体の[16]の変化が伝わる波で，**固体・液体・気体**中を伝わる。

S**波**は一般に物体の[17]の変化が伝わる波であるので，[18]中しか伝わらない。

S**波**は液体には伝わらないので**外核**には伝わらない。つまり**外核**部分は**液体**と考えられる。地震波をみると，深さ2900km以深には**S波**が伝わっていないことから，その部分は[19]で構成されているであろうと考えられる。

▶地　殻

上層は**花こう岩質**で[20]にだけ存在し，下層は[21]である。**地殻**と**マントル**との境界を[22]面（**モホロビチッチ不連続面**）といい，海洋底で約7km，陸地では約35kmである。[23]は**かんらん岩質**で深さ2900kmまでで，さらに**核**は，鉄やニッケルで成り，深さ約5100kmまでが**液体状**でこれを[24]と称し，これより深部を**内核**という。

▶変成岩

温度や**圧力**の高い状態で長くおかれ，[25]のままで変化した岩石をいう。例えば，結晶質石灰岩（大理石）は接触変成岩，片岩と片麻岩は広域変成岩という。

11. 最大
12. 最小
13. ジオイド
14. 縦波
15. 横波
16. 体積
17. 形
18. 固体
19. 液体
20. 陸地
21. 玄武岩質
22. モホ
23. マントル
24. 外核
25. 固体

2 地球内部の変動とエネルギー

隆起地形・沈降地形

⊙地殻変動を示す地形

場所	地殻変動	地殻変動の証拠	説　　明	実　例
海岸地方	隆　起（海退）	海岸平野	平らな海底が隆起して平野化した。海岸線は単調。海底であった証拠（例えば海成層）が認められる。	千葉県九十九里海岸
		海岸段丘	海岸地域でみられる階段状地形。隆起が断続して形成された。段丘の高さは大体陸地の隆起量に相当する。	阿武隈山地の東海岸，琉球諸島の各地域
	沈　降（海進）	リアス海岸	海岸線の出入りがノコギリの歯のような地形。起伏に富む海岸が沈降または海進によってできる。	三陸海岸，スペインの北西岸
		おぼれ谷	陸地に発達していた深い谷が沈降して海底に沈んだときにできる。	富山湾海底
内陸地方	隆　起	河岸段丘	河川の河岸にある階段状地形。日本の場合，土地が隆起して河川の侵食力が若がえり活性化してできる。	荒川，利根川，信濃川，天竜川
		隆起準平原	長い間の侵食作用で平らになった土地が隆起し高く位置し高原状態になっている地形。	岡山県や広島県北部の高原
	沈　降	埋積谷	谷が埋積され山地がすぐに沖積地におしせまっている地形。	山形県赤湯，栃木県佐野
海洋	沈　降	サンゴ礁	サンゴ礁のみが海面やその付近に認められる。	琉球諸島各地域
		ギヨー（平頂海山）	ギヨーが深い海底にある場合。	アラスカ湾

1．地　震

▶**マグニチュード**（M）とは，**震源**における地震の［ 1 ］，地震そのものの［ 2 ］（E）をいう。**マグニチュード**が1大きくなると，地震によるエネルギーは約32倍になり，［ 3 ］は10倍になる。

$$\log E = 4.8 + 1.5M$$

〔震源距離の算出〕

早く伝わる**P波**，遅く伝わる**S波**の速さをそれぞれ，V_P，V_Sとし，測定された，初期微動継続時間（**P-S時間**）をtとするとき，震源（までの）距離Dは，

$$D = \frac{V_P \times V_S}{V_P - V_S} \times t$$

で求められる。

▶［ 4 ］とは**震源**の真上の**地表点**をいう。

▶**海底**で地震が生じると［ 5 ］を発生することがある。

2．造山運動

▶ドイツの気象学者**A＝ウェゲナー**は，アフリカの西海岸と南アメリカの東海岸との重なり方の一致に着目した。そして大西洋の東と西の大陸はもともとくっついていたのではないか，そしてそれが分かれて移動して今では何千キロメートルも離れたのではないか，という仮説即ち［ 6 ］を出した。**海岸線**の一致，共通の**植物化石**，古生代後期の**氷河**遺跡などが裏づけとなっている。現在では**プレートテクトニクス**に受けつがれている。

▶**大陸移動**や**造山運動**の原因は［ 7 ］によると考えられている。

▶［ 8 ］とは，粘性の下部マントル上に浮かんだ**地殻**と上部マントルの**プレート**が，**海嶺**で上昇し**海溝**で沈降する**マントル対流**の作用により少しずつ移動するなど，プレートの運動によって様々な地殻変動が起こると捉える理論。

1. 規模
2. エネルギー（大きさ）
3. 振幅
4. 震央
5. 津波
6. 大陸移動説
7. マントル対流
8. プレートテクトニクス

3 大　気

大　気

⊙大気成層区分（高度・気温分布による）

分　類		高度（概数値）	気温分布（概数値）
対流圏		地表～ 12km	0.5 ～ 0.6℃ /100mの割合で低下（12kmで－55℃）
成層圏		12km ～ 50km	数km等温の後，0.2～0.3℃ /100mの割合で上昇（50kmで0℃）
超高層	中間圏	50km ～ 80km	0.2 ～ 0.3℃ /100mの割合で低下（80kmで－95℃）
	電離圏	80km ～ 400km	急激に上昇（200kmで1000℃）
	外気圏	400km ～	急激に上昇（500kmで1200℃以上）

⊙大気の温度

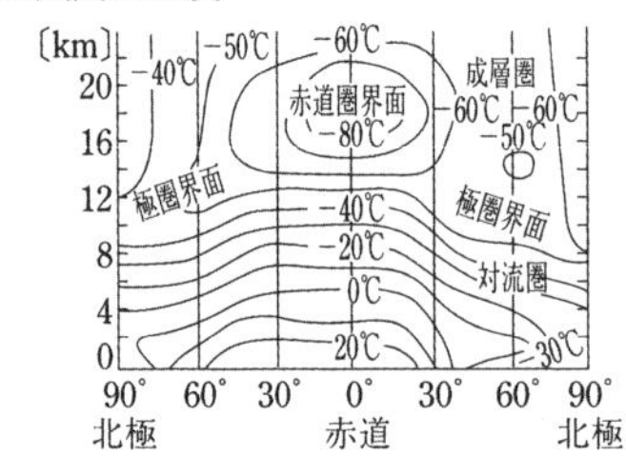

断熱変化
　断熱膨張で気温下降
　断熱圧縮で気温上昇
乾燥断熱減率＝ 1℃ /100m
　　　　　　：不飽和
湿潤断熱減率＝ 0.5℃ /100m
　　　　　　：飽和

⊙気圧：ある地点の上空の空気の重み。
1気圧は**水銀柱**76cmの圧力で，1013hpにあたる。

1．大気の熱収支

▶**太陽放射**：太陽はあらゆる方向に［ 1 ］の**放射線**を出す。大気の外縁に到達する**太陽放射**の98％は，**紫外線**（波長0.25 ～ 0.4μm），**可視光線**（波長0.4 ～ 0.7μm），**赤外線**（波長0.7 ～ 3.0μm）である。残りの2％は波長の短い超紫外線，γ線，X線，より波長の長い超赤外線，［ 2 ］である。太陽エネルギーの約45％が［ 3 ］，約45％がさらに長い波長の**電磁波**，残りの10％が［ 4 ］である。

▶**太陽定数**：地球が太陽から**平均距離**だけ隔たってい

1.　電磁波
2.　電波
3.　可視光線
4.　紫外線

るとし，地球の[5]で**太陽光線**に**直角**な単位面積が1単位時間に受けるエネルギー量。その値は1.37kW/m²となる。

▶**熱収支の均衡**

(1) **太陽の放射（熱の収入）**：地球に入射する太陽の**放射量**を100とすると，そのうち34（[6]による反射が25，**地表面**の反射が2，空気分子などの散乱が7）の率で[7]へもどる。地球では，19を**大気**が吸収，47を**地表面**が吸収する。地球は，100のうちの19＋47＝66の熱をとり入れる。

(2) **地球の放射（熱の支出）**：地球がとり入れた熱は，[8]と[9]の間を**循環**後，**大気**が60の熱を，**地表面**が6の熱を[10]へ**放射**し均衡する。

2．大気の温度

空気塊温度が周囲の気温より高い時，**空気塊**は上昇，不安定。低い時，**空気塊**は下降，安定。

▶地表付近の風は，地表の**摩擦力**のため，等圧線に斜めに，[11]側に向かって吹く。

▶**大気の循環**は，地球が**球形**であり，**自転**しているため，次のように吹く。

①**極（偏）東風**（高緯度低圧帯）
②**偏西風**（中緯度高圧帯）
③**貿易風**（低緯度低圧帯）

▶**地衡風**：**摩擦力**が上空では作用しないから，風は，**気圧傾度力**と**転向力**とが均衡し，**等圧線**に平行に吹く。北半球では，地衡風を背にするとき，左手が[12]となる。

▶**高気圧**では[13]気流が生じ，北半球の**地表**では[14]回り（時計回り）の風が吹き出す。

▶**低気圧**では[15]気流が生じ，北半球の**地表**では，[16]回りの風が吹きこむ。

5. 大気圏外
6. 雲
7. 大気外
8. 大気
9. 地表
10. 大気外
11. 低圧
12. 低圧部
13. 下降
14. 右
15. 上昇
16. 左

4 地球と惑星の運動

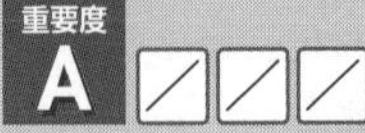

惑星の運動

⊙地球の自転

○自転周期……約23時間56分４秒

○自転の方向……**地軸**を中心として西から東へ

⊙地球の公転

○公転周期……約365.25日

○公転の証拠……**年周視差，年周光行差**

⊙ケプラーの法則

惑星の運動に関する３つの法則。

⑴　**第一法則**　惑星の軌道は太陽を１つの**焦点**とする**だ円**である。

⑵　**第二法則**　太陽と惑星を結ぶ線分が**等時間**に描く**面積**は等しい（公転の速度は近日点で最大となる）。

⑶　**第三法則**　惑星の**公転周期**の**２**乗は，軌道半径の**３**乗に比例する（平均距離＝だ円の長半径）。

〔$S_1 = S_2 = S_3$〕

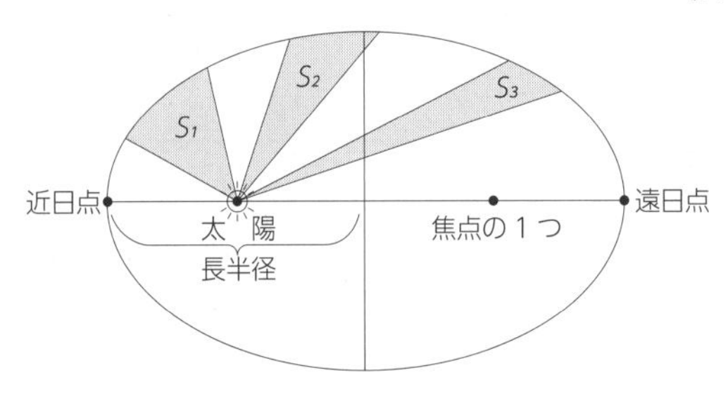

1. 惑星現象

◇右図において，Sが太陽，Eが地球としたとき，１～８の惑星現象名を答えよ。ただし，図中の矢印は惑星の公転方向を示す。

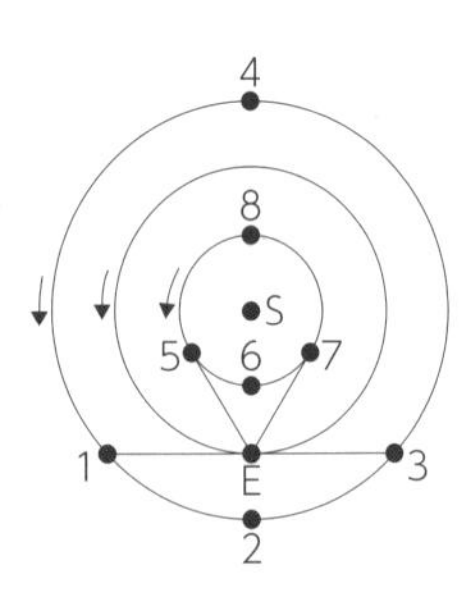

1. 東矩
2. 衝
3. 西矩
4. 合
5. 東方最大離角
6. 内合
7. 西方最大離角
8. 外合

◇次のうち，太陽からの距離が最も長いのはどれか。

9

㋐ 天王星　　㋑ 木　星
㋒ 地　球　　㋓ 水　星

9. ㋐

◇次の文に関係する事柄を下より選べ。

(1) **地軸**は，**公転軌道面**と66.5°の角度をなしている。

10

(2) 月の**軌道面**と地球の**軌道面**とは，ずれがある。

11

㋐ 季節変化が著しい。
㋑ 1か月後には，太陽の南中高度が変化した。
㋒ 公転軌道が，楕円である。
㋓ 皆既月食が見られる頻度は一定していない。
㋔ 黄道と白道の交点付近に新月のある時に日食が見られる可能性が高い。

10. ㋐，㋑

11. ㋓，㋔

※2006年，国際天文学連合総会で，惑星の新定義が採決され，太陽系の惑星は「水金地火木土天海」となった(冥王星は除外)。冥王星は，新たに設けられた「矮(わい)惑星」というジャンルに入る。

◇地球は太陽の惑星であるが，月は地球に対し何と呼ばれているか。 12

12. 衛星

◇右の図は，天の北極を中心とした星の動きをあらわす。各問いに答えよ。

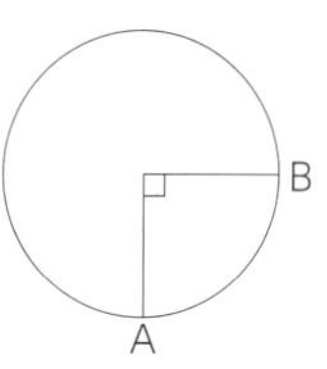

6月1日午後9時

(1) Aの位置で見えた星は，何日の何時にBで見えるか。 13

(2) Bの位置で，Aで見たときと同じ時刻に見えるのは何か月後か。 14

13. 6月2日午前3時

14. 3か月後

◇太陽・地球・火星が右図のようであるとき，下の各問いに答えよ。

(1) 火星A～Dのうち，地球から一晩中見えるのはどれか。

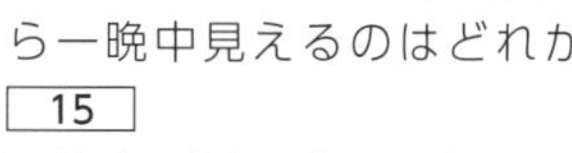

15

(2) 地球の**公転周期**を1年，火星のそれを2年とするとき，**会合周期**は何か月か。

16

15. B

16. 24か月

5 地殻変動と地質構造

地質構造

⊙マグマの岩質による火山の形態分類

	玄武岩質	安山岩質	流紋岩質
マグマの粘性	小←		→大
マグマの温度	高←		→低
噴火の型式	溶岩流出	小爆発	大爆発
火山の形態	溶岩台地	成層火山	鐘状火山
	楯状火山		溶岩円頂丘
火山の例	アイスランド	富士山	昭和新山
	ハワイ	桜　島	有珠山

⊙地質構造

①**整合**…上下の地層の**境界面**（層理面）が互いに**平行**になり，上下で**連続**している状態。**地殻変動**がなかったことの証拠となる。

②**不整合**…下の地層が**侵食**を受けた後，上の地層が**堆積**した状態。**地殻変動**を受けた証拠となる。

③**断層**…地層が，ある１つの割れ目を境にして，その両側で相対的に（上下，左右，斜め）ずれている状態。大きな**地震**や大規模な**地殻変動**が起きたときに生ずる。

④**しゅう曲**…**横方向**から大きな力が働いた場合に，その地層がしわがよったように波打つ構造となる。

1. 玄武
2. 安山
3. ㋔㋒㋐㋑㋓㋕

▶マグマの岩質は**火山**の形や噴火の様子と関係がある。**アイスランド**のように**溶岩流出**が起こるマグマは［ 1 ］岩質で，**富士山**のような**成層火山**ができるマグマは［ 2 ］岩質である。

◇**造山運動にみられる順に並べかえよ。**［ 3 ］

㋐マグマ貫入
㋑隆　起
㋒地向斜
㋓しゅう曲山脈
㋔堆　積
㋕楯状地

◇次の各文のうち誤っているものはどれか。[4]

(1) 日本列島には古生代に形成された石灰岩層が多い。

(2) 日本列島を走る大断層帯のうち中部山岳地帯を貫いているものを中央構造線とよぶ。

(3) 中部山岳はアルプス造山運動によってできた。

◇次の各文には誤った記述が1か所ある。訂正せよ。

① 地殻変動がない場合，下の地層ほど古い。これを地層水平の法則という。[5]

② マグマは核の成分が溶けたものである。[6]

③ 阿蘇山は花こう岩質マグマによる成層火山である。[7]

④ リアス海岸は隆起地形の例である。[8]

◇次の語句に対する適当な記述を下記から選べ。

① **地向斜** [9]

② **傾斜不整合** [10]

③ **造山帯** [11]

④ **安定帯** [12]

(ア) しゅう曲や断層を伴いながら隆起する地帯。

(イ) しゅう曲や断層を伴いながら隆起と沈降を経て形成される地帯。

(ウ) 地層が堆積するにつれてその層だけ沈降する堆積地帯。

(エ) しゅう曲や断層などの生ずるような地殻変動を受けない地帯。

(オ) 堆積地域に土砂を供給し，侵食するにつれて隆起した地帯。

4. (2)

5. 地層水平⇒地層累重

6. 核⇒マントルや地殻

7. 花こう岩質⇒安山岩質

8. 隆起地形⇒沈降地形

9. (ウ)

10. (イ)

11. (ア)

12. (エ)

6 鉱物と岩石

岩石の種類

◉火成岩
◉堆積岩――砕屑岩・化学岩・生物岩・火山砕屑岩
◉変成岩―┬熱変成岩（接触変成岩）
　泥岩・砂岩→ホルンフェルス
　石灰岩→結晶質石灰岩（大理石）
└広域変成岩（動力変成岩）
　泥岩・砂岩→片麻岩
　泥岩→千枚岩→黒雲母片岩
　砂岩・チャート→石英片岩
　凝灰岩→緑色片岩

◉火成岩の分類

SiO_2の量	小（塩基性）←―（中性）―→（酸性）大		
色　調	暗　色←――→淡　色		
比　重	約3.2 ←――→約2.6		
火山岩	玄武岩	安山岩	流紋岩
半深成岩	輝緑岩	ひん岩	石英斑岩
深成岩	斑れい岩	閃緑岩	花こう岩

1. ㊍

◇次のうち，誤っているものはどれか。［1］

㋐　造岩鉱物はほとんどケイ酸塩（SiO_4）である。
㋑　方解石の硬度は3で複屈折が起こる。
㋒　主要造岩鉱物のうち，へき開によって薄くはがれるのは黒雲母で，逆にへき開のないのは石英である。
㋓　ダイヤモンドとセキボクはともに炭素からなるが，生成時の圧力の違いによって異なった結晶となった。このような関係を固溶体という。

2. ㋐―ⓓ
㋑―ⓔ
㋒―ⓐ

◇A群の各項と関係の深いものをB群から選べ。［2］

A群　㋐石灰岩　㋑層理　㋒ボーキサイト
㋓ホルンフェルス　㋔凝灰岩
㋕大理石　㋖日高変成帯　㋗結晶片岩

B群　ⓐ堆積鉱床　ⓑ火山灰　ⓒ片理
ⓓサンゴ　ⓔ堆積岩　ⓕ接触変成作用
ⓖ造山運動　ⓗ結晶質石灰岩

◇花こう岩をルーペで観察したら，表面がうす桃色で，規則正しい割れ方をする鉱物があった。これは次のうちどれか。[3]

㋐ 長石　㋑ 石英
㋒ 黒雲母　㋓ 方解石

また，ある岩石を調べたところ，薄くはがれる鉱物がまじっていた。この鉱物はなにか。[4]

㋐ 長石　㋑ 石英
㋒ 黒雲母　㋓ 方解石

◇次の文中の空欄の中に，下記の語群より最も適当と思われる語を選び，その記号を記せ。

(1)　鉱物の中には，例えば黒雲母のように，割れると平らな面を作るものがある。この平らに割れる性質を[5]という。

(ア) 異方向性　(イ) へき開
(ウ) 偏　光　(エ) 断　口

(2)　鉱物の鑑定を行う場合，その[6]を調べることも重要である。鉱物と標準となる鉱物とをすり合わせ，すりきずの有無を調べる。

(ア) 比　重　(イ) 剥離性
(ウ) 硬　度　(エ) 屈折率

◇次の文の（　　）内から正しいと思われる語句を選べ。[7]

花こう岩は①（(ア)酸性岩　(イ)塩基性岩）で，それを構成する主な**造岩鉱物**は②（(ア)斜長石・輝石・かんらん石　(イ)石英・カリ長石・斜長石・黒雲母）である。

通常，**玄武岩**の比重は，**花こう岩**の比重よりも③（(ア)大きい　(イ)小さい）。また一般に，玄武岩は④（(ア)完晶質で　(イ)完晶質でなく），⑤（(ア)火山岩　(イ)深成岩）を形づくることが多い。

㋓—ⓕ
㋔—ⓑ
㋕—ⓗ
㋖—ⓖ
㋗—ⓒ

3. ㋐

4. ㋒

5. (イ)

6. (ウ)

7. ①—(ア)
②—(イ)
③—(ア)
④—(イ)
⑤—(ア)

2026年度版　新ポケットランナー　一般教養

（2023年度版　2021年12月24日　初版　第1刷発行）

2024年9月25日　初　版　第1刷発行

編著者	東京教友会
発行者	多田敏男
発行所	TAC株式会社　出版事業部（TAC出版）
	〒101-8383 東京都千代田区神田三崎町3-2-18 電話 03(5276)9492（営業） FAX 03(5276)9674 https://shuppan.tac-school.co.jp
組版	朝日メディアインターナショナル株式会社
印刷	株式会社　ワコー
製本	株式会社　常川製本

ISBN 978-4-300-11240-3
N.D.C. 370

乱丁・落丁による交換，および正誤のお問合せ対応は，該当書籍の改訂版刊行月末日までといたします。なお，交換につきましては，書籍の在庫状況等により，お受けできない場合もございます。
また，各種本試験の実施の延期，中止を理由とした本書の返品はお受けいたしません。返金もいたしかねますので，あらかじめご了承くださいますようお願い申し上げます。

のご案内

『人物重視の選考に、人物重視の対策を』

TACでは「ここを覚えてください」ではなく、「なぜ」「どうして」といった、理解中心の本質的な講義を展開します。理解して覚えるためのノウハウを盛り込んだ充実の講義は最終合格に結びつき、その後の学校現場にもつながっていきます。

授業では**実践的に使える知識を身に付ける**ことができました。**学校現場での例や実践と繋げて説明があるため長期記憶で定着**しました。

朝川 眞名さん　東京都 特別支援学校音楽

様々な先生の視点から指導いただけるのは非常に有意義だと思います。**どんな面接官に対しても高評価をもらえるような解答を用意**することができました。

石原 俊さん　愛知県 中学校数学

TACは面接や論文のサポートが手厚く、面接対策では、**自身の希望する自治体に合わせた質問や形式を準備頂き、本番に近い状況で対策をすることができました。**

竹腰 章生さん　東京都 中高地歴

鴨田 拓 講師 Kamota Taku

鎌田 潘子 講師 Kamata Syoko

竹之下 シゲキ講師 Takenoshita Shigeki

永平 一洋講師 Nagahira Kazuhiro

※各種本科生を対象とした合格体験記より抜粋。

自分に合った学習スタイルを！
選べる学習メディア

Web通信講座

いつでもどこでも
何度でも！
マルチデバイス対応
のオンライン学習

教室+Web講座

教室でも、Webでも、
自由に講義を受けられる！

【開講校舎】
新宿校・横浜校・大宮校・
名古屋校・梅田校・神戸校

各種資料のご請求・教員講座の受講や試験に関するご相談は

資料請求する

講座パンフレットを
ご自宅へお届けします

講義動画を視聴してみる

無料体験動画を公開中

オンラインで話を聞く

個別に学習や受講の
相談を承ります

TACカスタマーセンター 通話無料 **0120-509-117**（ゴウカク イイナ） 受付時間 平日・土日祝／10:00〜17:00

TAC出版 書籍のご案内

TAC出版では、資格の学校TAC各講座の定評ある執筆陣による資格試験の参考書をはじめ、資格取得者の開業法や仕事術、実務書、ビジネス書、一般書などを発行しています！

TAC出版の書籍

＊一部書籍は、早稲田経営出版のブランドにて刊行しております。

資格・検定試験の受験対策書籍

- 日商簿記検定
- 建設業経理士
- 全経簿記上級
- 税　理　士
- 公認会計士
- 社会保険労務士
- 中小企業診断士
- 証券アナリスト
- ファイナンシャルプランナー(FP)
- 証券外務員
- 貸金業務取扱主任者
- 不動産鑑定士
- 宅地建物取引士
- 賃貸不動産経営管理士
- マンション管理士
- 管理業務主任者
- 司法書士
- 行政書士
- 司法試験
- 弁理士
- 公務員試験(大卒程度・高卒者)
- 情報処理試験
- 介護福祉士
- ケアマネジャー
- 電験三種　ほか

実務書・ビジネス書

- 会計実務、税法、税務、経理
- 総務、労務、人事
- ビジネススキル、マナー、就職、自己啓発
- 資格取得者の開業法、仕事術、営業術

一般書・エンタメ書

- ファッション
- エッセイ、レシピ
- スポーツ
- 旅行ガイド（おとな旅プレミアム/旅コン）

書籍のご購入は

1 全国の書店、大学生協、ネット書店で

2 TAC各校の書籍コーナーで

資格の学校TACの校舎は全国に展開!
校舎のご確認はホームページにて

資格の学校TAC ホームページ
https://www.tac-school.co.jp

3 TAC出版書籍販売サイトで

https://bookstore.tac-school.co.jp/

新刊情報をいち早くチェック!

たっぷり読める立ち読み機能

学習お役立ちの特設ページも充実!

TAC出版書籍販売サイト「サイバーブックストア」では、TAC出版および早稲田経営出版から刊行されている、すべての最新書籍をお取り扱いしています。
また、会員登録(無料)をしていただくことで、会員様限定キャンペーンのほか、送料無料サービス、メールマガジン配信サービス、マイページのご利用など、うれしい特典がたくさん受けられます。

サイバーブックストア会員は、特典がいっぱい!(一部抜粋)

通常、1万円(税込)未満のご注文につきましては、送料・手数料として500円(全国一律・税込)頂戴しておりますが、1冊から無料となります。

専用の「マイページ」は、「購入履歴・配送状況の確認」のほか、「ほしいものリスト」や「マイフォルダ」など、便利な機能が満載です。

メールマガジンでは、キャンペーンやおすすめ書籍、新刊情報のほか、「電子ブック版 TACNEWS(ダイジェスト版)」をお届けします。

書籍の発売を、販売開始当日にメールにてお知らせします。これなら買い忘れの心配もありません。

書籍の正誤に関するご確認とお問合せについて

書籍の記載内容に誤りではないかと思われる箇所がございましたら、以下の手順にてご確認とお問合せをしてくださいますよう、お願い申し上げます。

なお、正誤のお問合せ以外の**書籍内容に関する解説および受験指導などは、一切行っておりません。**

そのようなお問合せにつきましては、お答えいたしかねますので、あらかじめご了承ください。

1 「Cyber Book Store」にて正誤表を確認する

TAC出版書籍販売サイト「Cyber Book Store」の
トップページ内「正誤表」コーナーにて、正誤表をご確認ください。

CYBER BOOK STORE TAC出版書籍販売サイト

URL:https://bookstore.tac-school.co.jp/

2 1の正誤表がない、あるいは正誤表に該当箇所の記載がない ⇒ 下記①、②のどちらかの方法で文書にて問合せをする

★ご注意ください★

お電話でのお問合せは、お受けいたしません。

①、②のどちらの方法でも、お問合せの際には、「お名前」とともに、
「対象の書籍名(○級・第○回対策も含む)およびその版数(第○版・○○年度版など)」
「お問合せ該当箇所の頁数と行数」
「誤りと思われる記載」
「正しいとお考えになる記載とその根拠」
を明記してください。
なお、回答までに1週間前後を要する場合もございます。あらかじめご了承ください。

① ウェブページ「Cyber Book Store」内の「お問合せフォーム」より問合せをする

【お問合せフォームアドレス】

https://bookstore.tac-school.co.jp/inquiry/

② メールにより問合せをする

【メール宛先 TAC出版】

syuppan-h@tac-school.co.jp

※土日祝日はお問合せ対応をおこなっておりません。
※正誤のお問合せ対応は、該当書籍の改訂版刊行月末日までといたします。

乱丁・落丁による交換は、該当書籍の改訂版刊行月末日までといたします。なお、書籍の在庫状況等により、お受けできない場合もございます。
また、各種本試験の実施の延期、中止を理由とした本書の返品はお受けいたしません。返金もいたしかねますので、あらかじめご了承くださいますようお願い申し上げます。

TACにおける個人情報の取り扱いについて

■お預かりした個人情報は、TAC(株)で管理させていただき、お問合せへの対応、当社の記録保管にのみ利用いたします。お客様の同意なしに業務委託先以外の第三者に開示、提供することはございません(法令等により開示を求められた場合を除く)。その他、個人情報保護管理者、お預かりした個人情報の開示等及びTAC(株)への個人情報の提供の任意性については、当社ホームページ(https://www.tac-school.co.jp)をご覧いただくか、個人情報に関するお問い合わせ窓口(E-mail:privacy@tac-school.co.jp)までお問合せください。

(2022年7月現在)